Seja gentil com você

Seja gentil com você

Por uma vida mais leve

CINDY BUNCH

Traduzido por Claudia Santana Martins

MUNDO CRISTÃO

Publicado originalmente por InterVarsity Press,
Downers Grove, Illinois, EUA

Os textos das referências bíblicas foram extraídos da *Nova Versão Transformadora* (NVT), da Tyndale House Foundation, salvo a seguinte indicação: *A Mensagem*, de Eugene Peterson, publicado pela Editora Vida.

Ilustrações: pikisuperstar / Freepik

CIP-Brasil. Catalogação na publicação
Sindicato Nacional dos Editores de Livros, RJ

B957s

Bunch, Cindy
Seja gentil com você : por uma vida mais leve / Cindy Bunch ; tradução Claudia Santana Martins. — 1. ed. — São Paulo: Mundo Cristão, 2022.

Tradução de: Be kind to yourself
ISBN 978-65-5988-087-4

1. Autoaceitação - Aspectos religiosos - Cristianismo. 2. Vida Cristã. I. Martins, Claudia Santana. II. Título.

22-76407 CDD: 248.86
CDU: 27-584

Meri Gleice Rodrigues de Souza - Bibliotecária - CRB-7/6439

Categoria: Espiritualidade
1ª edição: maio de 2022

Edição
Daniel Faria

Revisão
Natália Custódio

Produção
Felipe Marques

Diagramação
Marina Timm

Colaboração
Ana Luiza Ferreira

Adaptação de capa
Ricardo Shoji

Publicado no Brasil com todos os direitos reservados por:

Editora Mundo Cristão
Rua Antônio Carlos Tacconi, 69
São Paulo, SP, Brasil
CEP 04810-020
Telefone: (11) 2127-4147
www.mundocristao.com.br

PARA DAN

O Eterno reescreveu o roteiro da minha vida quando abri o livro do meu coração diante dele.

Salmos 18.24, *A Mensagem*

SUMÁRIO

PREFÁCIO

Ruth Haley Barton

“A única dádiva verdadeira é uma parte de si mesmo”, escreveu Ralph Waldo Emerson, e isso, para mim, é uma boa descrição do que Cindy realizou no livro que você tem em mãos. Ela compartilhou conosco generosas partes de si mesma — sua história, suas lutas sinceras e as práticas que a ajudaram a resistir e a encontrar alegria no meio de tudo isso. Considerando que todos nós temos nossas próprias histórias que incluem alegria e dor, felicidade e tristeza, isso é algo de que todos precisamos.

Gosto que este livro seja organizado em torno da prática geral da gentileza consigo mesmo, uma ideia sobre a qual escutamos muito pouco nestes dias e que, no entanto, é urgentemente necessária. Muitos de nós temos vivido há tanto tempo em ambientes extremamente críticos e ostensivamente avaliatórios que talvez nos perguntemos se a gentileza consigo mesmo ainda é permitida. Mas a verdade é que, se apenas aprendêssemos como praticá-la, nós nos transformaríamos! E, como Cindy observa tão sabiamente, nossos relacionamentos também se transformariam, porque a gentileza com nós mesmos gera gentileza e consideração para com os outros.

Este livro é profundamente encorajador, porque nos oferece práticas pequenas e simples que podem exercer um grande impacto, se assim permitirmos. Desde o exame que deve ser feito sem acanhamento até a caminhada da *visio divina*, as canções que nos dão alegria ou mesmo a prática de quebrar objetos (!) para liberar a dor e a raiva, esta obra apresenta uma pletora de práticas que não exigem nada mais além de mudar nosso foco e recalibrar pensamentos, atitudes e intenções com propósitos amorosos e espirituais. As ideias pessoais e inovadoras de Cindy, combinadas a práticas específicas e concretas, constituem sábias direções espirituais.

Uma alegria muito pessoal para mim ao ler atentamente este livro são as reflexões de Cindy sobre a prática da direção espiritual em geral e o impacto da vida e ministério de Marilyn Stewart em particular. Em Marilyn, encontrei uma valiosa amizade espiritual que durou mais de vinte anos, assim como um modelo que inspirou continuamente meu ministério. Ler as reflexões de Cindy sobre o que Marilyn significou para ela durante um período angustiante de sua própria jornada é um grande presente para todos nós que conhecemos e amamos Marilyn.

Finalmente, estou convencida de que a arte, a fotografia e os exercícios criativos entremeados a esta obra serão uma bênção para muitos — até mesmo (e talvez ainda mais especialmente!) para aqueles que não se consideram criativos ou artísticos. Como todos fomos feitos à imagem do Deus que criou e está criando, há algo em cada um de nós que é capaz de se dedicar ao processo criativo como parte do que significa relacionar-se com nosso Criador. Minha esperança é que todos os que se vejam com este livro nas mãos realizem as práticas — todas elas —, inclusive aquelas que envolvem arte e criatividade. Oro para que você seja gentil consigo mesmo *e* amplie seus horizontes. Prometo que não irá se arrepender!

INTRODUÇÃO

O que está incomodando você?

"Repare quando estiver se sentindo incomodado."[1] Essa declaração me fez estancar ao ler. As coisas que me incomodam podem formar um zumbido em meu cérebro que dura o dia todo. Estragam — ou ameaçam estragar — os outros momentos agradáveis do dia.

Encontrei essas palavras no original do livro de Gem e Alan Fadling, *What Does Your Soul Love?* [O que sua alma ama?], numa seção em que eles descrevem como nos colocamos em um estado de abertura diante de Deus. Em meu trabalho como editora, tenho a oportunidade de ler livros maravilhosos e interagir com algumas almas muito sábias. Quando estou lendo um original, geralmente entro em "modo profissional": penso na estrutura do livro, em como o público vai recebê-lo e assim por diante. Mas às vezes uma frase ou seção saltam à vista. É quando percebo que *aquelas palavras são para mim*. É Deus me dando um cutucão em meio a um dia de trabalho.

Tomei essa declaração e a transformei em uma pergunta. Então decidi torná-la parte de uma prática diária. Eu pensava sobre o dia que havia passado e escrevia a resposta a estas duas perguntas:

1. O que está incomodando você?
2. O que lhe deu alegria?

Criar essa prática simples foi de grande ajuda para mim. Quando a utilizo, vejo os pontos em que estou presa a padrões de pensamento negativo sobre mim mesma ou outras pessoas, e reconheço que preciso me livrar desses pensamentos. Vejo também o que é que me traz alegria. E cada dia oferece uma nova oportunidade de me aperfeiçoar nisso também. Quanto mais entendo o que é que me incomoda e me liberto disso, mais sou capaz de aceitar as oportunidades de alegrias. Isso é parte do que estou aprendendo sobre ser gentil comigo mesma.

SER GENTIL COMIGO MESMA

O modo como falamos com nós mesmos sobre o que está nos incomodando faz parte de uma prática de autogentileza. O que digo a mim mesma quando o que me incomoda é o fato de haver agravado um pequeno problema berrando com meu marido? Como lido com esses momentos quando sou ignorada no trabalho? Ou quando um amigo faz um comentário que me magoa? Ou mesmo algo tão prosaico quanto ficar presa em um serviço de atendimento ao consumidor durante horas sem conseguir resolver o problema?

À medida que aprendemos novas formas de lidar com os momentos difíceis de cada dia, abrimos espaço para que os momentos de alegria nos ocupem mais plenamente.

As Escrituras nos dizem: "Ame o seu próximo como a si mesmo" (Mc 12.31). E talvez até tenhamos escutado em um sermão que não devemos negligenciar a nós mesmos enquanto cuidamos dos outros. Muitas vezes, porém, isso é dito apenas de passagem, enquanto nos concentramos em prestar serviço ao mundo. Dedicar atenção ao que significa amar a nós mesmos pode parecer egoísta. No entanto, até mesmo Jesus se retirou para lugares longe da multidão a fim de orar (Lc 5.16).[2]

> "Uma vida de fé não pode ser vivida isoladamente. Deve transbordar na vida de outros."
>
> Eugene Peterson

Outro benefício dessa maior gentileza com nós mesmos é que, quando somos atenciosos com nosso eu, cultivamos uma maior delicadeza e empatia para com os outros. Um fruto da bondade para com nós mesmos é que nos tornamos mais bondosos para com o próximo. Anne Lamott descreve como aprendeu com pessoas que estavam no processo de se tornarem sóbrias que "abrir-nos para os outros nos ajuda a permanecer sóbrios e lúcidos". O costume de se atribuir um padrinho nos Alcoólicos Anônimos segue esse princípio. Porém Lamott continua: "Eles também queriam que nos abríssemos ao nosso horrível eu, ao que há de mais podre em nós, que falássemos gentilmente com nós mesmos, nos servíssemos uma deliciosa xícara de chá".[3] Para muitos de nós, estender a graça a nós mesmos é mais difícil do que estendê-la a outros.

Com o tempo, descobri práticas que me ajudaram a identificar a dor diária que sinto e lidar com ela, assim como abraçar tudo o que me torna mais consciente das belas dádivas de Deus. Essas práticas estão registradas aqui na esperança de que ajudem outros na jornada para uma alegria mais profunda — não para se transformarem em um catálogo de tarefas a cumprir e que despertem sentimento de culpa. Leia e pratique em seu próprio ritmo. Escolha as práticas pelas quais se sente atraído e deixe que as demais sigam de acordo com a sugestão de Jesus, como "os ritmos livres da graça" (Mt 11.29, *A Mensagem*).

EXAME LIVRE DE VERGONHA

Durante muito tempo tive dificuldades em relação à compreensão tradicional de como praticar o exame de consciência, um padrão de oração que foi criado por Inácio de Loyola, o místico do século 16 e fundador da ordem dos jesuítas.[4] A ideia básica é dedicar uma parte do tempo ao anoitecer para se sentar e analisar mentalmente o dia — rever os acontecimentos como em um filme. Ao fazer isso, repare em que momentos se sentiu mais próximo a Deus (momentos de consolação) e em que momentos se sentiu mais distante dele (momentos de desolação). Essa prática sempre me pareceu ser mais uma forma de me sentir mal comigo mesma — uma forma de revisitar e relembrar todos os meus pecados do dia. Embora eu saiba que é bom me lembrar dos pecados para poder confessá-los a Deus, esse exame me deixava com uma sensação de vergonha. Além disso, fazer isso à noite me lembrava de todos os problemas que me deixavam preocupada, bem na hora em que estava tentando dormir. Para mim, não era uma boa combinação.

Recorrer a essas duas perguntas simples de análise diária atenuou a dor e tornou a prática mais acessível a mim. Outro ajuste que funcionou para mim foi analisar o dia anterior de manhã. Eu já estava em uma rotina matinal de leitura espiritual e redação de um diário, então se encaixou perfeitamente. Passo alguns instantes pensando sobre o que aconteceu no dia anterior. Então escrevo em meu diário a resposta às duas perguntas, a número 1 e a número 2.

Durante um período tive uma caderneta de trinta dias em que escrevia a resposta às duas perguntas. A cada dia eu colava uma imagem recortada de páginas de revistas para representar uma de minhas respostas ou as duas. (Guardo uma pequena pilha de ilustrações de revista inspiradoras — falarei mais sobre isso na descrição da prática da colagem, no capítulo 7.) Isso me dava algo palpável para fazer enquanto refletia a respeito do dia anterior, e permitia que me concentrasse mais fundo. Encontrar as ilustrações evocava aspectos diferentes do que eu estava sentindo.

PRÁTICA: UM REGISTRO DIÁRIO

Registre durante trinta dias as respostas a estas duas perguntas:

1. O que está incomodando você?
2. O que lhe deu alegria?

Você pode escrever as respostas no espaço fornecido neste livro. Pode registrá-las em uma agenda especial. Ou escrevê-las em um diário, se já tiver um. Há um diário que pode ser impresso no *site* deste livro, em <ivpress.com/be-kind-to-yourself>, e que você pode transferir para o computador se quiser mais espaço para escrever e quiser acrescentar ilustrações recortadas de revistas ou suas próprias ilustrações. Ter um registro diário para analisar ajudará você em algumas das práticas que serão descritas mais adiante neste livro. Se perguntar a si mesmo "O que está me incomodando?" não funciona para você, tente se perguntar, em vez disso: "O que me deixa frustrado?".

Fazer o exame de consciência a partir do enfoque do que está me incomodando e do que me deixa alegre me mantém fora do poço da vergonha. As coisas que me incomodam não estão, é claro, completamente fora de mim mesma. A verdade é que o que mais me incomoda geralmente são encontros pessoais que dão errado. Ou então circunstâncias que estão me causando preocupação ou ansiedade, me fazendo percorrer um *loop* mental interminável. Minha parte nesse processo é minha própria resposta — seja ela simplesmente interna, seja expressa.

Essas perguntas me tornaram mais consciente dos elementos a que me agarro a cada dia. De tudo o que me puxa para baixo. De tudo o que me impede de notar que Deus está próximo e constantemente me chamando.

SÃO AS PEQUENAS COISAS

Alguns de nós adquiriram o hábito de afastar pensamentos negativos, por isso talvez não tenham consciência de imediato do que os está incomodando. Esta prática simples fornece um modo de entrar em contato com a ideia de que estamos nos apegando à dor, à frustração e à raiva, a fim de que possamos lidar com elas junto com Deus.

Cada capítulo começa com o que está me incomodando. Os exemplos vêm de diversos momentos ao longo de minha vida, do trabalho cotidiano a alguns períodos sombrios de desolação e alguns fracassos constrangedores e dolorosos. As coisas que me incomodam frequentemente brotam do pensamento negativo e da falta de confiança em mim mesma. Exploro práticas espirituais que descobri que podem fornecer ajuda e apoio nessas áreas.

Embora eu compartilhe algumas histórias de um período difícil de minha vida, este livro foi projetado principalmente como um manual para os dias normais. Quando atravessamos períodos de intenso sofrimento e perda, a dor está conosco o tempo todo, tingindo tudo. O que notei pessoalmente é que, nessas ocasiões, as coisas que geralmente me incomodam não me perturbam de modo algum. Após a morte recente de uma pessoa amada, a impaciência do balconista da mercearia não chegava a penetrar na neblina mental e emocional a ponto de me atingir. Em tempos assim, tudo é diferente.

Pode ser que algumas das coisas que nos incomodam sejam sinais de problemas latentes de saúde mental; nesse processo talvez você descubra que emergem temas que podem ser explorados por meio de orientação psicológica profissional. Mas não são esses temas que estou tentando enfocar primordialmente. Nestas páginas, iremos nos concentrar em explorar o panorama espiritual de nossa vida.

Depois que examinar o que está me incomodando, posso recuar um passo e ver o que me dá alegria. Reparo em ocorrências cotidianas. O momento em que alguém fala comigo com gentileza. Ou me ajuda em alguma tarefa no trabalho. O pôr do sol no caminho para casa. O jantar que meu marido preparou.

Concentro-me na palavra *alegria* em minha prática diária em vez de felicidade, porque acredito que a alegria aponta para coisas profundas que vêm de Deus. Sabemos que a felicidade pode ser passageira. O irmão David Steindl-Rast escreve: "A felicidade comum se baseia no acaso. A alegria é aquela felicidade extraordinária que independe do que acontece conosco. A boa sorte pode nos fazer felizes, mas não pode nos dar uma alegria duradoura".[5] Ao refletir sobre essa afirmação, penso na história habitual dos vencedores de loteria que, depois do prêmio, experimentam o mesmo nível de felicidade que antes — ou até níveis inferiores.

A alegria é fruto do Espírito — amor, paz, paciência, amabilidade, bondade, fidelidade, mansidão e (caramba!) domínio próprio. Mas gosto também de me divertir identificando a alegria. Lembro-me de algum pequeno detalhe que me fez sorrir naquele dia — como o GIF de gnomo tricotando que encontrei e compartilhei com alguns amigos em uma mensagem.[6] Essas coisas também podem nos atrair para Deus.

Padrões de felicidade emergirão com o tempo e podem apontar as mudanças necessárias na vida. O objetivo deste livro, no entanto, é revelar formas pelas quais podemos começar a fazer pequenos ajustes em nossa rotina diária para abrir espaço para mais coisas que nos deixam alegres. É uma questão de cultivar a gratidão pelos muitos lembretes de Deus que encontramos em um dia comum. Proponho algumas práticas que cultivei tanto intencionalmente quanto intuitivamente em minha vida. São as coisas que sempre me trazem alegria.

Dirigir na hora do pico e ir ao cartório sempre será desagradável. Mas, às vezes, o padrão do que nos incomoda aponta para um trabalho mais profundo que Deus opera em nós. Assim, encontramos o primeiro convite de Deus nas próprias frustrações que experimentamos. Notar o que está nos incomodando pode ser uma oportunidade para abandonar algumas das expectativas a que nos apegamos e adotar um novo modo de ser. Depois nos voltamos ao cultivo da alegria. Como a vida é sempre misturada, o bom e o ruim podem se mesclar. Ao prestar atenção à presença diária de Deus perto de nós, descobrimos o antídoto para o que nos incomoda. É por isso que o segundo convite é para que reparemos nos momentos diários de alegria.

DESCOBRIR O QUE VOCÊ SABE

Depois de anos sob a orientação espiritual de uma diretora sábia e capacitada, tive o privilégio de passar por um treinamento para ser diretora espiritual eu mesma. O que descobri ser verdade como diretora espiritual é que não dirijo nada! Só me sento ao lado da outra pessoa escutando o movimento do Espírito Santo dentro dela. Se uma pessoa está buscando ativamente a

Deus e seguindo a prática espiritual, então, na maior parte das vezes, com algumas perguntas incisivas, encontrarão as respostas às próprias perguntas. Direção espiritual é como conversar com um amigo íntimo. Vocês discutem juntos todos os lados de uma questão até encontrarem um caminho para o centro.

O processo para o qual o estou convidando nestas páginas é assim. É uma oportunidade de trazer à tona o que você já sabe. De descobrir o que você já está fazendo — ou poderia estar! — que o leva para mais perto de Deus. Intencionalmente, não estou introduzindo muito conteúdo, já que a maioria de nós recebe mais informação do que consegue processar. Este é um espaço para se concentrar na prática e na experiência.

Cada capítulo é dividido em seções menores com pontos visuais de interrupção. Leia uma seção de cada vez e experimente uma prática — talvez uma por dia, ou uma por semana. Então retome a leitura do capítulo. Mas, lembre-se, não há necessidade de se sentir forçado a experimentar todas as práticas.

Outra forma de lidar com os capítulos seria ler todo o capítulo, observando quais práticas lhe parecem atraentes. Experimente as práticas pelas quais se sente atraído em vez daquelas que lhe parecem penosas. Todavia, esteja sempre consciente também de que às vezes precisamos refletir sobre as coisas às quais temos forte resistência interna. Pergunte a si mesmo por que não se sente atraído por certos exercícios. Essa sensação de desconexão é algo em que você poderia penetrar para ver o que há por trás? Será que há ali uma oportunidade de crescimento em um novo aspecto da espiritualidade? Ou será que é só como se fosse um dia chuvoso em que caminhar fora de casa não parece agradável?

À medida que descobrimos o que já sabemos sobre nós mesmos e sobre Deus, podemos viver mais plenamente na alegria com as escolhas que fazemos a cada dia.

REGISTRANDO UM EXAME DIÁRIO

Dias 1 a 10

Em cada dia, escreva o que o está incomodando e o que lhe deu alegria. Ou, em outras palavras: Quando você se sentiu longe de Deus? Quando se sentiu próximo dele?

É possível dar mais de uma resposta. É especialmente proveitoso registrar todas as respostas que lhe vêm à mente na pergunta sobre a alegria.

Aqui está o espaço para você preencher nos dez primeiros dias (as perguntas para o Dia 1 são para todos os dias).

DIA 1

1. O que está incomodando você? ______________________

2. O que lhe deu alegria? __________________________

DIA 2

1. ____

2. ____

DIA 3

1. ____

2. ____

DIA 4

1. ____

2. ____

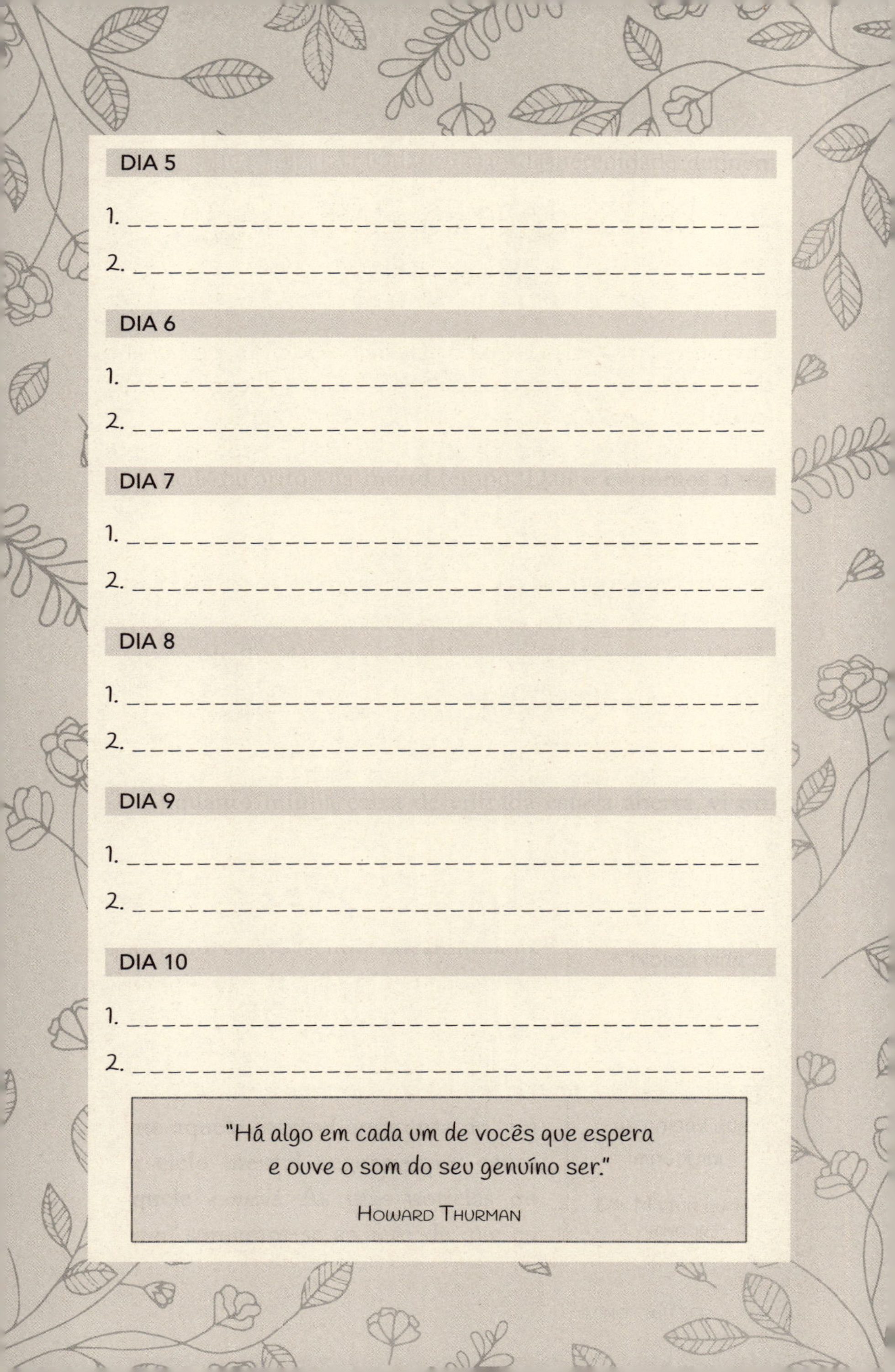

DIA 5

1. ____

2. ____

DIA 6

1. ____

2. ____

DIA 7

1. ____

2. ____

DIA 8

1. ____

2. ____

DIA 9

1. ____

2. ____

DIA 10

1. ____

2. ____

"Há algo em cada um de vocês que espera
e ouve o som do seu genuíno ser."

Howard Thurman

1

TIVE UM DIA RUIM

Prestando atenção ao que é belo

1. O que está incomodando você? Queimei o *bacon* e fiz o alarme de incêndio disparar.
2. O que lhe deu alegria? Avistei um beija-flor em uma caminhada.

Eu me ofereci para preparar o *bacon* para que Dan e eu pudéssemos começar a trabalhar. Ambos estávamos trabalhando remotamente em um local quente e ensolarado em Palm Springs — um privilégio concedido pelos nossos patrões, a quem ficamos gratos. Meus pais tinham um contrato de utilização periódica de uma propriedade e haviam reservado aquela semana, mas não iam utilizá-la, então estávamos hospedados em um belo local de veraneio.

O *bacon* fritou bem, só que a fumaça fez com que o alarme de incêndio da cozinha disparasse. Estávamos no fuso horário central do país, mas eu sabia que nossos vizinhos deviam estar desfrutando de uma manhã no fuso horário do Pacífico — na cama às cinco horas da manhã. Então agarrei a frigideira e a levei porta afora. Em seguida abrimos as janelas e arejamos o local.

Aí a campainha tocou. Os dois seguranças perguntaram se estávamos bem.

— Sim — respondi, com minha eloquência de antes do café. — *Bacon*.

— *Bacon*? — perguntou o segurança.

— Sim, *bacon* — repeti, e ele foi embora.

A frigideira não estava mais soltando fumaça, por isso me inclinei para pegá-la. Estava presa. Puxei com mais força. Ela se soltou com um remendo do carpete de boas-vindas firmemente colado ao fundo.

Assim, meu agradável dia em Palm Springs começou com uma esfregação e raspagem para remover o carpete da frigideira, que parecia nova e pertencia à hospedaria, e a dúvida sobre se iríamos ser cobrados pelo estrago no carpete de boas-vindas.

Alguns dias são assim. É claro que dias de férias em um local ensolarado não deveriam ser assim. "O que vai acontecer agora neste dia?", perguntei-me.

No caso em questão, eu só tive acontecimentos bons pela frente. Sol. Passeio. Jantar cedo. Observar o pôr do sol da varanda. Mas, em um dia comum, dirigindo até o trabalho e com colegas e pressões vindas de todos os lados — bem, o alarme de incêndio da cozinha poderia, facilmente, ter me derrubado.

Para aqueles de nós no mundo ocidental que vivem no privilégio, é fácil perder de vista o quadro mais amplo quando recebemos uma multa de trânsito ou perdemos o cartão de crédito. Como voltar aos trilhos quando contratempos diários nos distraem de nossos planos e metas para o dia?

Para mim, prestar atenção aos pequenos focos de beleza que nos cercam é algo capaz de me fazer sair do astral pesado de um "dia ruim".

NOTANDO AS PEQUENAS COISAS

É bom pensar naqueles dias que não incluem um alarme de incêndio disparado. A noite no cinema com amigos. O gostoso sábado de verão que termina com um copo de vinho na varanda. Em dias assim, a primeira coisa que quero escrever é sobre o que me traz alegria. Às vezes, quando começo a escrever, reparo em mais de um foco de alegria e me vejo escrevendo uma série de agradecimentos. Esses são os dias em que é fácil me conectar a Deus e aos outros. Há dias que parecem cheios de graça.

Gratidão leva a mais gratidão. Registrar um momento de alegria me leva a notar mais belezas.

Minha amiga Christy Buckner Foster postou no Facebook: "Postem coisas belas, por favor". Cliquei avidamente nos comentários. Lá encontrei o seguinte:

- um gato e um cachorro felizes reunidos depois de quatro meses de separação
- um GIF de Dolly Parton e a miss Piggy se abraçando
- uma paisagem lunar e um pôr do sol
- uma canoa cheia de flores nas águas
- praias
- bebês contentes
- cavalos
- mais gatos

Ansiamos por esses momentos de beleza depois de dias repletos de notícias falsas, notícias ruins e muito poucas boas notícias. E a boa-nova é que Deus está próximo. Parar para saborear esses momentos nos dá a oportunidade de permanecer conectados a ele durante todo o dia.

Como podemos trazer mais consciência da beleza para dentro de nossa vida?

> "A beleza é a bondade que se manifesta aos sentidos."
>
> DALLAS WILLARD

A beleza pode ser encontrada nas pequenas coisas, nos detalhes, como no pequeno beija-flor que Dan avistou em nosso passeio mais tarde no dia do alarme contra incêndio. Pelo fato de ele haver chamado minha atenção para aquele passarinho, ficamos vigilantes. E vimos outro e depois mais outro. Cada um desses momentos foi de conexão entre nós e gratidão por esse ser diminuto e maravilhoso da criação de Deus.

PRÁTICA: MOMENTOS DE BELEZA

Você pode cultivar a consciência da beleza dentro de sua própria comunidade compartilhando momentos de beleza com outras pessoas, assim como minha amiga fez. Você pode enviar imagens da beleza que encontrou em sua vida e conversar sobre elas com aqueles que o cercam. Mesmo quando nossas postagens não viralizam, honramos as dádivas ao notá-las.

Encontrei um aplicativo simples e gratuito que me permite acrescentar uma citação a uma imagem e compartilhar essa imagem no Instagram. Em contraste com os extremos de criar uma *persona* falsa nas redes sociais ou ignorar os acontecimentos do mundo real, podemos compartilhar um pouco de alegria no mundo das redes sociais e ver que alegrias retornam a nós.

CONECTANDO-SE COM DEUS NOS MOMENTOS GLORIOSOS

Eu também costumo alternar as imagens da tela de entrada e de bloqueio em meu celular. Há uma ótima do meu pai com meus três filhos. Fomos vê-lo no Natal e ele estava com seu coro masculino, então está vestindo o uniforme do coro. As crianças disseram: "Viemos para ver o concerto do vovô", o que parecia uma inversão engraçada da dinâmica usual entre avós e netos. Papai está trajando o uniforme vermelho do coro e todos estão rindo de alguma coisa.

O pequeno beija-flor que Dan avistou na colina em Palm Springs é um dos meus novos favoritos.

Passar por essas imagens quando ligo o celular para abrir um aplicativo enquanto estou na mercearia me traz de volta aquelas lembranças e a gratidão pelos momentos de alegria.

Um beija-flor em Palm Springs

PRÁTICA: EVIDÊNCIAS FOTOGRÁFICAS

Coloque em um local em que você a veja com frequência uma foto de um momento que representa uma bela dádiva. Quando vir a foto novamente, pronuncie uma palavrinha de agradecimento por aquela felicidade passada, e deixe que a lembrança abra um espaço de gratidão para você. Gratidão leva a mais gratidão, uma vez que tenhamos entrado em um espaço mental adequado.

SAIA DE CASA

"Você precisa sair de casa. O dia está lindo."

Eu escutava isso de minha mãe com frequência no verão. Eu era uma rata de biblioteca nada atlética quando criança e adolescente. Na verdade, ainda sou uma rata de biblioteca nada atlética.

Meu irmão descia à rua para jogar basquete nos dias de verão e voltava para casa em busca de comida com o suor escorrendo pelo corpo. Minha mãe o mandava ficar no pátio até que o suor escorresse ou tomar uma ducha se quisesse entrar em casa. Ele repetia esse processo cerca de quatro vezes por dia.

Eu me divertia lendo livros policiais de Nancy Drew em nossa fria sala de estar no porão.

Em certo momento, porém, descobri que minha mãe estava certa (como costumava acontecer). Embora você não vá me ver jogando basquete, descobri que também gosto de sair de casa. Gosto da natureza. Gosto de passear. Estou aprendendo a identificar os pássaros. Gosto de jardinagem — durante cerca de uma hora.

PRÁTICA: *VISIO DIVINA* EM UMA CAMINHADA

Soube pela primeira vez da ideia de fotografia como uma forma de *lectio divina* (leitura divina) chamada *visio divina*, ou visão divina, ao ler Christine Valters Paintner.[1] A *visio divina* envolve meditar sobre uma imagem e pedir a Deus que fale conosco por meio dela. Podemos também "ler" a natureza, e a natureza pode nos ler (ou falar conosco).

Faça uma caminhada levando o celular e encontre algo que mexa com você. Talvez seja bonito ou interessante. Ou talvez seja feio. Preste atenção em sua reação interior. Tanto a atração quanto a repulsa podem ser pistas de que há algo mais ali. Gosto de pegar de três a cinco dessas imagens e observá-las. Às vezes as combino em uma colagem. O que elas dizem a você?

Naqueles grandiosos dias de inverno em Palm Springs, eu estava trabalhando um pouco e escrevendo um pouco. Sempre que podia, ficava sentada do lado de fora, na varanda ou junto à piscina, para trabalhar, e isso me dava muita alegria.

Deus está sempre estendendo a mão para nós, cortejando-nos, principalmente por meio da criação. As Escrituras nos convidam a imaginar Deus como um pastor cuidando de cada ovelha no rebanho. Ezequiel relembra as promessas do Pastor: "Eu lhes darei bons pastos nas altas colinas de Israel. Elas se deitarão em lugares agradáveis e se alimentarão nos pastos verdes das colinas" (Ez 34.14). Essas imagens nos trazem convites de Deus por meio da natureza.

Ramificações e aberturas

Uma caminhada com Deus pode envolver ainda notar o que cria dissonância ou uma sensação de feiura. Também por meio dessas coisas, Deus pode nos atrair e falar conosco. O Pastor promete: "Encontrarei minhas ovelhas e as livrarei de todos os lugares para onde foram espalhadas naquele dia de nuvens e escuridão. [...] Procurarei as perdidas que se desgarraram e as trarei de volta. Enfaixarei as ovelhas feridas e fortalecerei as fracas" (Ez 34.12,16).

ESCAPANDO DO VÓRTICE POLAR

Para mim a oportunidade de usar o local de veraneio de meus pais tem bons e maus aspectos. O processo de reserva é incrivelmente complexo, e às vezes acontece de as semanas que meus pais reservaram originalmente não serem registradas no tempo apropriado. Há então uma possibilidade de recuperar essas reservas por outro sistema — que envolve um vasto espectro de propriedades de qualidade diferente. Então por vezes acabo me sentindo vencida e frustrada pelo sistema. Ele simplesmente não é adequado às minhas necessidades de férias e à minha personalidade.

Mas ainda são férias grátis! Sempre fico agradecida por isso quando finalmente chego lá.

Aquela estadia em Palm Springs teve os contratempos de sempre, mas foi melhor do que o habitual, e era uma propriedade encantadora. Melhor ainda: a reserva que fiz com um ano de antecedência acabou caindo bem em meio a um vórtice polar que atingiu Chicago, a cidade onde vivo. Só isso já merecia uma celebração. Mas tivemos caminhadas em trilhas, diversão de sobra, novos restaurantes, espetáculos e galerias de arte que visitamos e muito mais. Assim, ao final de minha temporada lá, criei um altar de gratidão como forma de dar graças a Deus.

PRÁTICA: FAZENDO UM ALTAR

Aprendi a construir altares caseiros com Anne Grizzle, que escreveu um livro chamado *Reminders of God* [Lembretes de Deus].[2] Um altar pode ser erguido dentro ou fora de casa. Por exemplo, você pode recolher objetos em uma caminhada, fazer um arranjo com eles fora de casa, usar o altar para orar e meditar, e depois se afastar dele como uma forma de reforçar o momento mas não se apegar a ele. Você pode, é claro, tirar uma fotografia para preservar a memória e retornar a esses momentos de graça. Ou reunir os achados dentro de casa sobre uma mesa ou prateleira, e mantê-los juntos como um lembrete da graça quando você passar por eles.

Um altar de gratidão em Palm Springs

Em minha casa, tenho uma mesinha de oração perto da cadeira onde me sento para orar de manhã. Nessa mesinha, mantenho os objetos que me são importantes: cruzes e um crucifixo, parte de uma asa de anjo, um pedaço de granito, uma Bíblia e outros objetos. Às vezes mudo a disposição deles conforme a estação e acrescento um pano roxo na Quaresma e no Advento. É um lembrete visual da presença de Deus junto a mim.

Fiz uma caminhada meditativa ao redor da propriedade procurando objetos que me chamassem a atenção e parecessem me atrair de alguma forma — a casca do tronco de uma palmeira, vagens de sementes, gramíneas —, tudo o que me lembrasse da beleza daquelas semanas. Encontrei uma bola de golfe no estacionamento. Não jogamos golfe lá, mas havia vários campos de golfe ao redor do local, então parecia combinar. A experiência toda foi uma combinação da beleza natural das montanhas e trilhas de caminhada misturada a centros de compras e propriedades muito bem cuidadas com fontes de água, campos de golfe e pousadas por temporada. Dispus tudo aquilo sobre um balcão, tirei uma fotografia, deleitei-me observando o arranjo ao longo do dia seguinte e depois devolvi os objetos ao ambiente externo quando parti.

2

NÃO ACREDITO QUE FALEI ISSO

Falando gentilmente com nós mesmos

1. O que está incomodando você? Falei de modo grosseiro com minha amiga.

2. O que lhe deu alegria? Orei e me lembrei do profundo amor de Deus por mim.

Jamais me esquecerei daquela manhã no dormitório da faculdade. Eu estava usando o espelho no saguão para permitir que minha colega de quarto dormisse (vejam como sou uma boa pessoa!). Uma amiga parou e me fez uma pergunta qualquer. Mas meu cérebro que não havia dormido o suficiente não conseguiu formular uma resposta. Então falei:

— Odeio você.

Fiquei mortificada por aquela resposta ter saído de mim. E aquela era uma de minhas amigas prediletas! Até hoje consigo ver a mágoa nos olhos dela quando falei aquilo.

Quinze anos depois, ainda me lembro do dia em que abri um presente de uma amiga, um perfume. E das palavras que saíram de meus lábios:

— Ora, acabei de ver esse perfume na loja, experimentei e devolvi à prateleira.

De algum modo, aquilo não soou como "não acredito que você comprou exatamente o perfume que eu resolvi experimentar", mas sim como "eu não queria isso". Foi um fluxo livre de pensamento de meu cérebro que me saiu da boca sem nenhuma delicadeza. A resposta magoada de minha amiga ainda está clara em minha mente:

— Acabei de lhe dar um presente. Por que você me disse isso?

Ambos os acontecimentos ocorreram anos atrás, entretanto ainda me lembro deles bem demais. Como nos recuperamos quando dizemos ou fazemos algo errado? Como lidamos com nossas falhas e fracassos?

COMO VOCÊ FALA CONSIGO MESMO?

Isso que você falou foi muito grosseiro.
Essa foi uma ideia imbecil.
Por que não consegue ser mais paciente?
Como pôde se esquecer de fazer isso?
Por que você é tão crítica em relação aos outros?

Essas são algumas das frases que digo a mim mesma — praticamente todos os dias. Eu nunca (tudo bem, raramente) digo esse tipo de frase para os outros. E com certeza não digo várias vezes ao dia. Apesar disso, tenho um crítico interno emitindo um fluxo constante desses comentários dirigidos a mim mesma. Consigo ficar tão ocupada me repreendendo que às vezes é difícil diferenciar entre ações que são parte da vida em um corpo humano nesta terra (esquecer as chaves) e ações que causam dano a outros (expressar impaciência em voz alta pela demora do atendimento em um restaurante).

> "Nosso gentil Senhor não quer que suas criaturas percam a esperança mesmo que falhem com frequência e gravemente. Nosso erro não o impede de nos amar."
>
> JULIANA DE NORWICH

O primeiro passo é perceber que muitos de nós podemos ficar presos nesse tipo de ciclo negativo de autocrítica. Estamos reservando espaço em nosso cérebro para esse crítico interior há muito tempo. Talvez seja um padrão para toda a vida. Talvez seja um ciclo que você aprendeu enquanto internalizava a voz de um dos pais, um professor ou um pastor nos primeiros anos de vida. Talvez tenha sido reforçado por alguém em sua vida que lhe diz coisas negativas a seu respeito.

Quando você se vê caindo na negatividade, o que diz para si mesmo? Algo ainda mais negativo?

Vou lhe dar uma ideia: não se repreenda mais ainda! Por exemplo, às vezes sinto minha mente nutrindo pensamentos negativos a respeito de outros. Noto essa tendência e me pergunto por que não consigo acolher todas as pessoas com graça e amor. Aí me critico por ser tão crítica! E nada disso me ajuda a ser melhor. Só me torna uma pessoa crítica demais e que agora também está decepcionada consigo mesma.

Em vez de me repreender, estou aprendendo a olhar para Jesus e oferecer graça a mim mesma — até mesmo quando falho.

Ofereça graça a si mesmo

PRÁTICA: FAÇA UMA LISTA

Marilyn McEntyre publicou um livro maravilhoso com o título *Make a List* [Faça uma lista]. Marilyn escreve: "Uma lista pode ser um valioso exercício de reformulação, que significa ver uma situação em novos termos".[1] Ela sugere um ótimo título para uma lista: "O que não importa tanto quanto pensei que importasse".[2] Outros títulos que inventei para listas incluem os seguintes:

- Maneiras pelas quais ser gentil comigo mesma
- As chaves para ser gentil comigo mesma são...
- Razões para Deus querer que eu seja gentil comigo mesma
- O que aprecio em mim mesma
- De que preciso (mas que raramente me dou)
- De que não preciso

Faça uma lista de estilo livre. Deixe a mente vaguear e veja o que aparece!

DE QUE VOCÊ PRECISA?

O crítico interior pode ser como um amigo malvado que lhe diz que você não é bom o bastante para fazer parte da turma dele, que faz com que você se sinta gordo, desajeitado ou fora de moda. Essa voz precisa ser redirecionada para um estilo mais encorajador ou simplesmente desligada.

No livro *How to Be Yourself* [Como ser você mesmo], Ellen Hendriksen define o crítico interno como aquele treinador horrível que tenta motivar uma criança por meio de críticas duras e humilhações.[3] Isso pode fazer com que a criança simplesmente desista do esporte. Em contraste, ela descreve um treinador como alguém que encoraja, mas que também oferece orientações para ajudar a criança a se aperfeiçoar, "criando para nós mesmos um ambiente de apoio no qual possamos tentar coisas difíceis".[4]

Outra forma de lidar com o crítico interno pode ser pedir o apoio de um amigo ou cônjuge para obter outra perspectiva. Meu colega Al descreve como às vezes repreende o crítico interno da esposa dizendo frases como: "Seja legal com minha esposa! Pare de ser malvada com ela". Ele observa: "Algumas pessoas vivenciam o crítico interno como um assediador de si mesmo, e precisamos ter pessoas a quem recorrer que nos defendam desse assédio".[5] Hendriksen classifica os exemplos aqui como os de quem "desafia" ou discute com o crítico interno.[6]

Quando notamos que estamos nos movendo em um ciclo de autocrítica, isso também pode ser um sinal de que há algo mais profundo acontecendo. Podemos parar e nos perguntar: "De que você precisa neste momento?". E então oferecer a nós mesmos palavras de conforto. Podemos nos lembrar, nesses momentos, de que não se deve confiar na voz do crítico.

PRÁTICA: PALAVRAS DE CONFORTO

À medida que você se torna mais consciente do crítico interno, desenvolva padrões mentais para reagir quando os pensamentos negativos o atormentam. Cuidado com a tentação de se repreender ainda mais quando nota que esses pensamentos vêm à tona! Em vez disso, diga a si mesmo palavras de compaixão. Talvez possa até pensar em si próprio como uma criancinha que caiu e esfolou o joelho. Tenha algumas frases prontas para dizer a si mesmo.

No formato "Faça uma lista", aqui estão algumas palavras de conforto que escrevi em cartões de lembrete para mim mesma. Redigi-as como se estivesse falando com um amigo e então incluí referências importantes das Escrituras que afirmam a verdade por trás dessas palavras.

Palavras de conforto

Deus quer que você descanse.

"O SENHOR [...] me leva para junto de riachos tranquilos. Renova minhas forças" (Sl 23.1-3).

Deus cuidará de você.

"Não se preocupem [...]. Observem os pássaros" (Mt 6.25-26).

Deus está com você.

"A glória do SENHOR os protegerá na retaguarda" (Is 58.8).

Seja bom consigo mesmo.

"Louvado seja Deus, [...] Pai misericordioso e Deus de todo encorajamento" (2Co 1.3)

LIBERDADE NA CONFISSÃO

Às vezes o crítico interno tem razão! Reflita sobre se você é realmente responsável pelo erro e se há algo que precisa fazer para consertar. Se precisar, faça o que precisa fazer. Ou planeje como fazer isso. Quando declarei rudemente para minha amiga que a odiava, precisei pedir desculpas. Fiz isso, e mais tarde conseguimos rir daquilo como um sinal de falta de sono e estresse.

Percebi quão frequentemente eu nutria pensamentos críticos em relação aos outros quando estava revisando *The Dangerous Act of Loving Your Neighbor* [O perigoso ato de amar o próximo]. Nesse livro, Mark Labberton pinta um retrato vívido de quantos de nós avaliamos os outros com base nas aparências e primeiras impressões. Essa foi outra vez que Deus falou comigo por meio de meu trabalho. E foi uma percepção importante. Quero olhar para as pessoas com os olhos de Cristo, em vez de com os olhos de uma editora irritada.

Quando noto que estou recaindo nesse padrão de julgar os outros, digo coisas para mim mesma como "Obrigada, Deus, por permitir que eu veja isso", "Perdoa-me", "Ajuda-me a continuar a crescer mais nessa área". A esperança, então, é que nesse momento de confissão eu consiga abandonar esse comportamento.

Anne Lamott descreve o processo que seguiu para se conscientizar de que estava se apegando a sentimentos negativos em relação a outra escritora: "Então eu me voltei para mim mesma. Este é o grande pecado, a fonte da maior parte da loucura e desconforto, por isso o levei à igreja, à clínica. Envergonhada, confessei-o em silêncio, porque isso estava no programa, e porque os segredos nos deixam doentes, isolados, escondidos, como se estivéssemos sendo assediados. Contei a verdade a Deus, que eu tinha pensamentos terríveis. Não podia prometer parar de me sentir tão competitiva e má, mas mencionei que aquilo me entristecia".[7]

Um dos aspectos significativos da tradição litúrgica no culto para mim é ter um tempo para a confissão todas as semanas — "no programa", como escreveu Lamott. Em muitas igrejas isso se dá na posição de joelhos, que considero um envolvimento proveitoso do corpo com o espírito. Podemos fazer essa oração

> "A autotransformação é sempre precedida da autoaceitação."
>
> DAVID BENNER

sozinhos ou em comunidade enquanto nomeamos nossos pecados diante de Deus e, como Lamott descreve, expressamos nosso sofrimento por eles, pedindo a ajuda de Deus para nos aperfeiçoarmos.

PRÁTICA: A LITURGIA DA CONFISSÃO

Esta é uma ótima oração para memorizar e orar quando necessário — sozinho ou em comunidade.

O Diácono ou o Oficiante dirá:
Confessemos nossos pecados contra Deus e o próximo.
Poder-se-á guardar um período de silêncio.

Oficiante e Povo:
Deus Misericordioso,
confessamos que temos pecado contra ti,
em pensamentos, palavras e ações;
pelo que fizemos
e pelo que deixamos de fazer.
Não te amamos de todo o nosso coração,
nem a nosso próximo como a nós mesmos.
Lamentamos verdadeiramente e humildemente nos arrependemos.
Em nome de teu Filho Jesus Cristo,
tem piedade de nós e perdoa-nos;
de modo que nos alegremos em tua vontade
e andemos em teus caminhos,
para a glória do teu Nome. Amém.

Livro de Oração Comum

EXPERIMENTANDO O PERDÃO

O capítulo 1 centrou-se no gentil cortejo de Deus por meio de dádivas de beleza em nossos dias. Mas podemos também imaginar Jesus na descrição do personagem de Flannery O'Connor, Hazel Motes: "uma figura feroz e andrajosa fazendo sinais para que ele desse meia-volta". Nas histórias imaginativas de O'Connor, encontramos um Jesus que persegue os bizarros e frequentemente desagradáveis personagens dela com uma tenacidade ardente. Quando nos sentimos perdidos, também podemos imaginar Jesus como Hazel Motes — no pano de fundo de nossa vida, movendo-se "de árvore em árvore".[8] Jesus permanece conosco em nossa escuridão e nos guia para a luz.

> "'Muitas vezes a pessoa mais difícil de perdoar é você mesmo', disse a toupeira ao menino."
>
> Charlie Mackesy

Na liturgia do culto, depois do tempo para a congregação confessar, o sacerdote pronuncia uma palavra de absolvição. As palavras abaixo são planejadas para a oração diária. Dialogam bem com nossa necessidade de aquietar a mente acusatória. Essa oração pode ser feita em cenários em que não haja um sacerdote presente. Se você precisa escutar essas palavras hoje, leia-as em voz alta e saiba que em Cristo há graça para todos nós.

Pai misericordioso,
concede ao teu povo fiel perdão e paz;
que sejamos limpos de todos nossos pecados
e te sirvamos com a mente tranquila;
por Jesus Cristo, nosso Senhor. Amém.[9]

3

ALÉM DO MEU CONTROLE

Criando uma nova *playlist* mental

1. O que está incomodando você? Meu filho está doente.

2. O que lhe deu alegria? Deus falou comigo na letra de uma canção de ninar.

Quando meu filho, Spencer, estava nas primeiras semanas de vida, teve icterícia. O médico me orientou a amamentá-lo com mais frequência e tentar fazer com que ele tomasse um pouco de sol. Mas a icterícia continuou. Ficou grave a ponto de o hospital enviar um aparelho com uma lâmpada especial de fototerapia para ajudar a baixar os níveis de bilirrubina.

O assento parecia um berço portátil com uma luz presa no topo, e ele devia ficar sentado ali por alguns períodos ao longo do dia e da noite. É claro que ele não quis se sentar ali e abriu o berreiro. Quando ele chorava, todos os instintos me levavam a erguê-lo do assento. No entanto, se ele não melhorasse, eu sabia que teria de ser internado no hospital para poder receber o tratamento de luz durante o tempo todo. Eu não queria isso.

Sendo mãe de primeira viagem, meus hormônios estavam elevados. Some-se a isso a aflição e culpa pela situação ("É culpa minha, eu não o amamentei o bastante"). Além disso tudo, o pai dele não estava por perto na maior parte do tempo, e a distância emocional entre nós também estava aumentando.

Foram dias e noites de pesadelo para mim. E não havia nada que eu pudesse fazer além de esperar e orar. A gravação de canções de ninar de Michael Card, *Sleep Sound in Jesus*, era minha companheira nas noites enquanto eu acalmava tanto o bebê quanto a mim mesma: "Durma bem em Jesus, querido do meu coração / A escuridão da noite não vai nos separar".[1]

Mesmo em meio a tudo isso, fiquei surpresa e grata que essa luz de cura pudesse ser levada até minha casa. À medida que a icterícia desaparecia, a doce tia Angie de Spencer me consolou dizendo que achava que ele parecia bem, com aquele leve matiz de cor no rosto. A consulta seguinte com o médico, com o terrível processo de tirar sangue apertando o pezinho dele, mostrou que os níveis de bilirrubina estavam baixos, então escapamos da ameaça de hospitalização.

CRIAR UM NOVO *LOOP* MUSICAL

Um aparelho de som com dois gravadores de fitas cassete era um verdadeiro tesouro nos meus tempos de faculdade. Com esse aparelho era possível montar aquelas compilações de música que todo mundo criava na época. Era preciso um trabalho cuidadoso para encontrar as canções na fita original, iniciar e parar a transferência para a fita virgem no ponto exato. Apertar o botão de gravar e desligar no momento certo. Evitar espaços em branco ou estática. Ou consertar a fita enrolando-a de novo depois que ela se enroscava toda dentro do compartimento.

A criação dessas compilações era uma forma de arte, um modo de arquivar a seleção perfeita de músicas para estudar, para escutar no carro ou para uma festa. Quando um namorado ou namorada trocava compilações, aquilo se tornava uma forma de expressar verdades profundas e mensagens ocultas para as

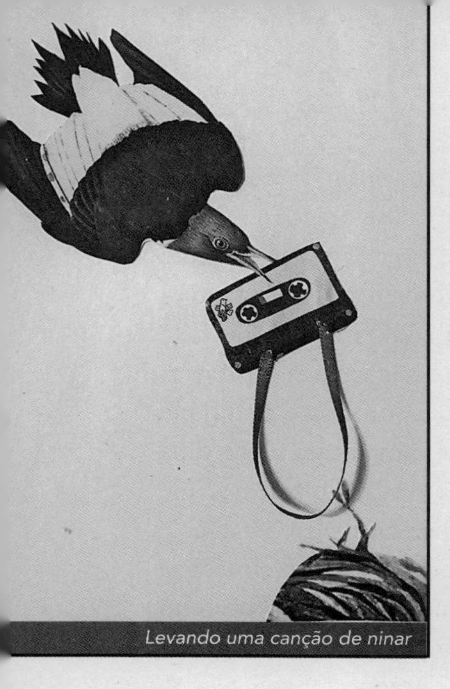
Levando uma canção de ninar

quais talvez ainda não se tivesse palavras. Hoje em dia temos o Spotify e outras ferramentas por meio das quais podemos obter o mesmo efeito de modo muito mais fácil.

Minhas canções prediletas podem fazer com que eu me recupere quando estou desorientada. E, como no caso das canções de ninar que descrevi, em momentos de dificuldade elas podem fornecer um refrão de consolo e alegria. A música pode nos levar à presença de Deus.

FORA DE CONTROLE

Não gostamos de ver os outros sofrerem. Sei que, em algum momento, vou cuidar de membros da família que sofrerão muito mais do que meu filho bebê sob a lâmpada de fototerapia. (Não creio que ele sentisse dor física; só queria ser pego no colo.) Quando se trata de questões de saúde — seja a nossa própria, seja a de nossos entes amados — um dos aspectos mais difíceis é que muitas questões estão fora de nosso controle. Fazemos o possível para agir corretamente escolhendo o melhor hospital e médico, e considerando com cuidado as diversas opções de tratamento. Mas não sabemos quando ou se uma dor se atenuará. Não sabemos se o tratamento ou procedimento cirúrgico nos trará cura. Muitas vezes, não sabemos sequer por que ficamos doentes ou machucados. Para aqueles com doenças crônicas, todas essas questões são agravadas.

PRÁTICA: UMA *PLAYLIST*

Quais são as canções que lhe dão alegria? Podem ser canções que simplesmente versam sobre alegria e felicidade. E podem ser canções que evocam lembranças de um momento, um concerto musical, um dos pais, um lugar e assim por diante. Podem também ser canções que evocam o que é sagrado para você. Crie uma *playlist* para si mesmo.

Quais são as canções que o consolam quando teve um dia ruim? As canções que o tranquilizam quando algo o está perturbando? Acrescente essas também.

Fiz *playlists* no Spotify intituladas "O que lhe dá alegria?" e "O que está incomodando você?". Aqui estão algumas das canções.

***Playlist* O que lhe dá alegria?**

"joy", For King & Country
"Doxology", My Epic
"10,000 Reasons", Matt Redman
"Great Is Thy Faithfulness", Chris Rice
"Turn Your Eyes Upon Jesus", Noah James & the Executives
"Girl Shanty", Sons of the Never Wrong
"Girl on Fire", Alicia Keys
"On Top of the World", Imagine Dragons
"Holy, Holy, Holy", Sufjan Stevens

***Playlist* O que está incomodando você?**

"Rescue", Lauren Daigle
"I Surrender All", Jadon Lavik
"Psalm 91", Sons of Korah
"Silver and Gold", U2
"Have Your Way", Crossbeam
"You Can Do This Hard Thing", Carrie Newcomer
"Learn to Sit with Not Knowing", Carrie Newcomer
"Sleep Sound in Jesus", Michael Card
"Brave", Sara Bareilles
"Be Kind to Yourself", Andrew Peterson

Envelhecer aumenta essa perda de controle, com a lentidão do corpo e da mente. A autora e amiga Belinda Bauman descreve o que a está incomodando como "as pequenas indicações de que não me recupero fisicamente de problemas tão rápido como quando era mais jovem".[2] Gostemos ou não, talvez não sejamos tão rápidos como éramos. Todavia, se permanecermos em um caminho centrado em Deus, existem também aspectos em que nos aperfeiçoamos com a idade. Belinda continua: "Por outro lado, eu me recupero emocionalmente muito mais rápido do que quando era mais jovem". Essa é a esperança.

Se conseguimos aprender a permanecer com nossos sentimentos, então podemos desenvolver a resistência emocional pela qual ansiamos nesses períodos e passagens fora de controle. E, no final, esse é o caminho para uma alegria mais profunda. Para mim, uma forma de permanecer com minha dor e desenvolver a resistência emocional que Belinda descreve é escrever um diário.

Minha mãe sempre pareceu imaginar que meus diários eram um tesouro que um dia poderiam ser publicados. Não é esse o caso — e eu realmente pretendo destruí-los antes que alguém mais possa avaliá-los para publicação! Não há um *Diário de Anne Frank* enterrado em minha caixa de diários antigos. O que há se parece mais com um longo registro de queixas, confusão, preocupação e raiva — entremeados a celebrações e gratidão também. Meu diário é o lugar em que lido com Deus. E às vezes é o lugar em que sou mais sincera a respeito de meus sentimentos todos.

PRÁTICA: ESCREVA SOBRE A DOR

Escrever um diário é uma ferramenta incrível para conseguir lidar com as situações. Não sei como as pessoas sobrevivem sem isso.

Às vezes encontro em mim mesma uma resistência a escrever sobre as situações realmente difíceis. Não quero ficar remoendo aquilo — não quero trazer aquilo de volta à mente. Em alguns casos, não quero ter um registro daquilo! Mas escrever ajuda. Frequentemente nesse processo descubro mais e mais sobre o que está de fato me incomodando.

Tente se sentar e escrever. Despeje as ideias sobre o papel e continue o quanto aguentar. Lance a si mesmo o desafio de escrever, mesmo que apenas durante quinze minutos, e veja o que acontece. Então ofereça o que escreveu a Deus.

CONSOLO NA TEMPESTADE

Outra das canções de ninar que eu estava escutando naqueles dias difíceis com Spencer chama-se "Asleep in the Bow" [Adormecido na proa]. No refrão, Michael Card fica maravilhado pela forma como Jesus dormia durante uma tempestade no mar. Uma das estrofes é:

> Doce Jesus, a tempestade castiga;
> Do sono dos pequenos ela é inimiga.
> Ergue-te e manda as tempestades embora
> e acalma-me as ondas até a aurora.

Baseia-se em uma passagem de Mateus 8. Essa história nos oferece uma imagem de abrir mão do controle sob a perspectiva de Jesus. A passagem se inicia quando Jesus entra em um barco de pesca no mar da Galileia e seus discípulos--pescadores o seguem.

> De repente, veio sobre o mar uma tempestade violenta, com ondas que cobriam o barco. Jesus, no entanto, dormia. Os discípulos foram acordá-lo, clamando: "Senhor, salve-nos! Vamos morrer!".
>
> "Por que vocês estão com medo?", perguntou ele. "Como é pequena a sua fé!" Então levantou-se, repreendeu o vento e o mar, e houve grande calmaria.
>
> Os discípulos ficaram admirados. "Quem é este homem?", diziam eles. "Até os ventos e o mar lhe obedecem!"
>
> Mateus 8.24-27

Descobri que esse é um bom texto para adotar em dias sombrios e tempestuosos, quando preciso me lembrar de que Jesus está no barco comigo.

PRÁTICA: MEDITAÇÃO, DORMINDO NA TEMPESTADE

Visualize-se nesse barco. Onde você se imagina? Consegue dormir como Jesus? Ou está preocupado como os discípulos?

Como seria dormir em uma tempestade?

Agora imagine-se como um bebezinho no colo de Jesus nesse barco em meio à tempestade. Como se sente? Fale com Jesus sobre os sentimentos e desejos que isso evoca em você. Deixe que Jesus o segure da forma como você se sentir mais confortável.

Durante aqueles meses me sentindo sozinha com um bebê, fiquei profundamente preocupada e angustiada com muitos fatores que não podia controlar. A tela de meu cérebro estava repleta de cenários sombrios, imaginando futuras consequências potenciais que eu era incapaz de prever.

Foi nesse período que procurei a ajuda de uma sábia diretora espiritual, Marilyn Stewart.

Há muito tempo eu estimava Marilyn a distância, tendo assistido a um seminário em uma conferência que ela estava dando. Alguns amigos meus já haviam recebido o sábio conselho e a direção espiritual de Marilyn. Então criei coragem, descrevi a ela minha crise matrimonial e perguntei se ela poderia se encontrar comigo para me fornecer direção espiritual. Ela teve a bondade de concordar em se encontrar comigo.

Marilyn estava, na época, com sessenta anos e concentrava-se em oferecer retiros e direção espiritual a líderes cristãos. Sua expressão era sempre calma e tranquilizadora. Entendi imediatamente que ela havia visto e ouvido de tudo, tendo estado ao lado de muitas pessoas em crise ao longo dos anos. Tive a sensação de que nada do que eu tinha a compartilhar poderia chocá-la ou surpreendê-la. Eu sabia também que não conseguiria enganá-la. Senti que ela saberia de imediato se eu mentisse. E, apesar disso, me senti segura e reconfortada por esse aspecto de sua presença, não julgada. Nunca rejeitada ou desconsiderada. Ela conseguia abraçar meus sentimentos e necessidades, mas também ver além deles o que Deus poderia estar me oferecendo.

Marilyn me encorajou a dizer apenas três palavras em oração nesses momentos de pensamentos negativos e desesperados: "Senhor, tem misericórdia". Era uma prática simples e profundamente útil que mantenho até hoje quando me sinto presa em um ciclo mental negativo.

PRÁTICA: A ORAÇÃO DE JESUS

Há uma oração simples e bela que vem da tradição ortodoxa oriental. Encontra-se em um livro russo anônimo do século 18 chamado *Caminho do Peregrino*.

Na versão completa é: "Senhor Jesus Cristo, Filho de Deus, tem misericórdia de mim, pecador".

Na tradição ortodoxa ela é repetida continuamente na devoção pessoal ou no culto. Considero-a uma oração valiosa para quando minha mente está fora de controle.

4

LI NO TWITTER

Saber quando não se envolver

1. O que está incomodando você? O comentário político de minha amiga na rede social.
2. O que lhe deu alegria? Tirar uma folga do celular neste fim de semana.

Sentada diante da TV, mexendo desatentamente no celular, dei com uma publicação de uma amiga de infância. Fiquei feliz de ter restabelecido contato com ela pelo Facebook, de saber de sua vida e família. Nos últimos dias, porém, havia me surpreendido ao ler os comentários políticos dela sobre questões que eu também considerava importantes. Percebi que estávamos em lados opostos em muitos aspectos. Aspectos ligados a algumas de minhas crenças centrais sobre gentileza e dignidade humana.

Conforme a situação política esquentou, as publicações políticas dela foram me parecendo cada vez mais cáusticas. E eram dolorosas para mim. Eu me perguntava: "Devo desfazer amizade no Facebook? Ou talvez apenas deixar de segui-la?". Toda vez que via as publicações dela, essas perguntas me assaltavam.

À medida que as lia, cada uma das publicações dela se tornou um lembrete de todos os problemas que me cercavam. Problemas urgentes. Questões com as quais eu me importo. Será que ajuda se eu comento ou compartilho concordando? Que papel eu desempenho nisso tudo?

Passar os olhos pelo Twitter naquela noite apenas intensificou esses sentimentos de confusão e culpa. Lá as pessoas estavam falando sobre as notícias e percebi que eu não estava atualizada. Aprendo muito lendo as opiniões dos outros. Gosto desse aspecto de passar algum tempo no Twitter. É uma oportunidade de acompanhar e escutar vozes diversas. Gosto disso também. Mas há muitos problemas importantes. Em quais deles devo me envolver? É opressivo.

Há questões mundiais importantes nas quais preciso prestar atenção. E o diálogo sobre essas questões é um aspecto da plataforma Twitter. Mas acho que também preciso considerar como as redes sociais me afetam depois de um longo dia de trabalho. De vez em quando tomo consciência de que preciso parar e refletir sobre em que e como estou me envolvendo.

PRÁTICA: A ORAÇÃO DA SERENIDADE

Esta oração é, há muito tempo, o centro dos grupos de ajuda mútua que se valem do Programa dos Doze Passos e tem sido a tábua de salvação para muitos. É atribuída a Reinhold Niebuhr e considera-se que foi escrita em 1932, embora haja alguma controvérsia e dúvidas quanto à autoria. Não obstante, a oração é uma dádiva e uma fonte de graça para aqueles momentos em que necessitamos reconhecer que não estamos no controle. Ela pode nos proporcionar clareza naqueles casos em que nos indagamos em que conversas devemos ou não nos envolver.

> Deus, concede-me a serenidade
> para **aceitar** aquilo que não posso mudar,
> a **coragem** para mudar o que me for possível
> e a **sabedoria** para saber a diferença.

Creio que as palavras da Oração da Serenidade definem para mim o tipo de discernimento de que necessito para saber quando acrescentar minha voz ao ruído e quando não me envolver. Elas me lembram de que não estou no controle.

EU NÃO DEVIA TER LIDO MEU *E-MAIL*

No sábado à noite eu estava em uma apresentação da cantora Carrie Newcomer e da banda Over the Rhine — dois dos meus favoritos há muito tempo. Dan e eu fomos a um excelente jantar em um restaurante de cozinha latino-americana que não conhecíamos, e chegamos cedo ao local do espetáculo. Enquanto esperávamos o início, eu estava mexendo no celular. Pensei em algo que havia planejado fazer para o trabalho. Era algo simples: dar seguimento à compra de um produto para o escritório. Então abri o programa de *e-mails* e colei um *link* em uma mensagem que enviaria na manhã de segunda-feira.

Enquanto minha caixa de entrada estava aberta, vi um *e-mail* de resposta a respeito de algo com que eu havia ficado preocupada anteriormente naquele dia. Achei que a resposta iria me tranquilizar dizendo que tudo estava sendo encaminhado. Foi assim que justifiquei meu gesto de abrir o *e-mail*. Infelizmente, a mensagem não era nada tranquilizante.

Em consequência disso, entrei, durante aquela incrível apresentação, em um ciclo mental negativo por causa daquele *e-mail*. As más notícias do *e-mail* somaram-se ao fato de que eu

> "Nossa vida começa a terminar no dia em que silenciamos sobre as coisas que importam."
>
> DR. MARTIN LUTHER KING JR.

havia rompido meu padrão de uso de *e-mail* estabelecido fazia bastante tempo. Sabia que estava me sentindo péssima devido a minhas próprias ações, o que levou a algumas conversas negativas comigo mesma.

Tenho certas regras básicas para mim mesma sobre como uso o *e-mail*.

1. Fechar o programa de *e-mails* pelo menos duas horas antes de ir para a cama. Em vários dias da semana, gosto de manter o programa fechado desde a hora que volto para casa do trabalho.
2. Não abrir novamente o programa de *e-mails* até voltar ao trabalho!
3. Mantê-lo restrito absolutamente ao mínimo durante minhas práticas de fim de semana, das 17h de sábado até 17h de domingo.

Quando sigo minhas regras básicas, acho-as incrivelmente úteis.

Em *Sacred Rhythms* [Ritmos sagrados], Ruth Barton descreve seu ritmo diário matinal prestando atenção em como se relaciona com a tecnologia. Ela segue uma rotina de duas horas pela manhã em silêncio, em ritmo lento, enquanto se prepara sem nenhum estímulo tecnológico por perto. Reserva tempo para o silêncio e para a leitura das Escrituras. Então Ruth vai em frente, "vestindo-se e executando outras preparações para o dia e às vezes dando uma breve caminhada, mas fazendo isso calmamente e como quem faz uma oração, em vez de permitir outros tipos de estímulo".[1] A ideia de que se vestir pode fazer parte de uma rotina matinal centrada em Deus abriu algumas possibilidades para mim, pois vinha pensando em como criar espaço para Deus em meus dias atarefados. Todavia, os maiores benefícios que obtive vieram de estabelecer limites meticulosos para o uso da tecnologia.

Geralmente tento parar de trabalhar em certo ponto do início da noite. Então tento seguir a prática de não abrir meus *e-mails* desde o momento em que vou para a cama até chegar ao trabalho. Passar os olhos pelas mensagens que não tenho tempo de responder antes de sair de manhã só enche minha cabeça com tudo o que preciso fazer. Aí fico tensa ou redijo *e-mails* em minha cabeça enquanto dirijo, em vez de relaxar um pouco. Pior ainda é quando tento escrever uma resposta rápida antes de tomar o café da manhã. Para mim isso resulta inevitavelmente em uma comunicação ineficaz.

Esse ritmo de "fechar" o trabalho e concentrar-me na família e na reflexão interna é semelhante à prática monástica de um "Grande Silêncio" durante a noite. Aqueles de nós que moram com a família e amigos provavelmente não consideram um silêncio literal desejável, mas há um padrão e ritmo na sabedoria monástica que podemos adotar. Ruth Barton escreve: "Desconectar de certos aspectos da tecnologia pode ser um ato simbólico de entregar o trabalho desse dia a Deus e estar plenamente presente às dádivas da noite: uma refeição compartilhada, conversas com a família e amigos, contribuições feitas à vida no lar, lazer e descanso".[2] Para mim tem sido útil deixar de lado os *e-mails* e as redes sociais a fim de me proporcionar um modo mais ameno de encerrar o dia e iniciar o seguinte.

PRÁTICA: GERENCIAMENTO DOS *E-MAILS*

Pense em como lida com os *e-mails* de manhã e ao longo do dia e da noite. Os *e-mails* — ou o conteúdo de mensagens específicas — constam da lista do que incomoda você? O que você nota quanto a seus níveis de estresse ao lidar com *e-mails*? Há alguma mudança ou ajuste que você gostaria de fazer em relação a seu gerenciamento dos *e-mails*?

ASPECTOS DOLOROSOS DAS REDES SOCIAIS

Com a maneira pela qual o Facebook nos mostra nossa própria história, podemos ser surpreendidos ao nos defrontar com lembranças de relacionamentos rompidos ou perdidos, por exemplo. Minha amiga Melody comenta sobre isso: "O Facebook tem um jeito de mostrar lembranças dos grandes erros de sua vida [...]. Quando esperanças e sonhos são destruídos, isso muda tudo. Muda você". Mas ela encoraja aqueles que sentem esses arrependimentos a encontrar a liberdade do passado.

Em outros momentos as redes sociais se tornam lugares de trauma. A eleição de Donald Trump no outono de 2016 foi um momento de dor intensa para muitas pessoas, mas especialmente para os negros. Com seu pespicaz livro *Healing Racial Trauma* [Curando o trauma racial], Sheila Wise Rowe me ajudou a entender o que foi o resultado dessa eleição para uma mulher afro-americana. Sheila escreve: "Todos os dias trazem insultos e ataques da Casa Branca". E ela prossegue narrando o que observou sobre seu próprio envolvimento *on-line*: "Os sinais de trauma não resolvido estavam evidentes em minhas respostas, que iam do silêncio até o compartilhamento exagerado, da culpa de sobrevivente até a perturbação com o ciclo de notícias mais recentes".[3] Observar em si mesma esses sinais de trauma racial foi o início de uma jornada de cura pós-eleição para Sheila. Com o tempo ela conseguiu frequentar um grupo de oração de escuta que lhe forneceu um atalho para a cura.

PRÁTICA: REDES SOCIAIS — JEJUM E RECONFIGURAÇÃO

Há muitas formas pelas quais podemos nos libertar da atração sempre presente das redes sociais — que nos impele a comparações ou preocupação com os outros, ou julgamento de outros. Para alguns, a Quaresma é uma boa oportunidade de sair das redes durante quarenta dias a fim de obter mais tempo para ler e orar. Para outros, talvez seja um dia de descanso semanal das redes sociais. Outros ainda podem se abster durante um período de trabalho concentrado em um projeto para recuperar energia e espaço, permitindo que a mente se concentre.

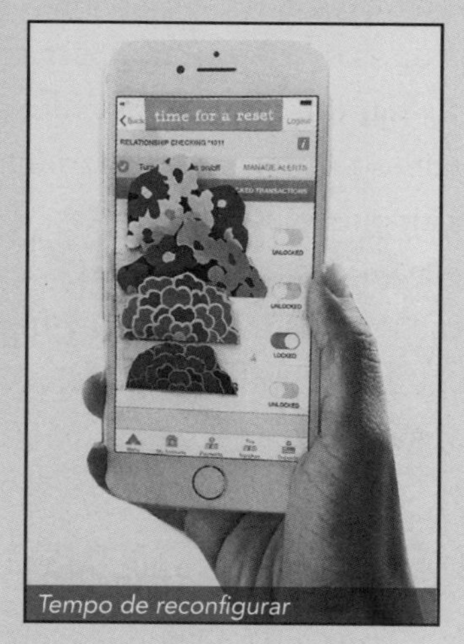

Tempo de reconfigurar

A vantagem de tirar uma folga, seja qual for a extensão dessa folga, é ganhar uma oportunidade de analisar a si mesmo e ver como você se sente com e sem redes sociais em sua vida. Não há uma resposta certa para todos, mas vale a pena examinar a fundo a questão sobre se o uso das redes sociais está lhe trazendo alegria. E em seguida, para obter pleno benefício do jejum, reconfigurar o modo como você lida com as redes sociais.

Nosso nível de envolvimento cada vez maior nas redes sociais pode, na verdade, estar reduzindo nosso nível de felicidade. Um artigo publicado no *Journal of Social and Clinical Psychology* [Periódico de psicologia clínina e social] em dezembro de 2018 cita um novo estudo com estudantes da Universidade da Pensilvânia. A estudante do último ano e coautora do artigo, Jordyn Young, escreveu: "O que descobrimos, de modo geral, é que, se você usa menos redes sociais, na verdade se sente menos deprimido e menos solitário, o que significa que o uso maior das redes sociais é o que causa essa mudança qualitativa no seu bem-estar".[4] Talvez menos tempo nas redes sociais leve a mais alegria.

Em um episódio do *podcast* intitulado *Hurry Slowly* [Apresse-se devagar], Cal Newport afirmou: "O Twitter é uma máquina de ansiedade".[5] Mencionou também a tendência de as pessoas tirarem uma folga das redes sociais e alertou que "dar um tempo" nas redes sociais é como dizer que se está "dando um tempo" na heroína! Nas redes sociais, não é raro recair nos mesmos hábitos. Por esse motivo, ele propõe que uma folga ou o jejum deve ser combinado com uma simplificação ou "limpeza" que proporcione novas formas de lidar com as redes sociais — tais como não instalar certos aplicativos no celular.

REDENÇÃO NAS REDES SOCIAIS

Eu estava quase bloqueando ou desfazendo a amizade de Facebook com minha amiga de infância para evitar suas publicações políticas. Foi então que ela postou algo que me surpreendeu. Era mais ou menos assim:

Percebi que tenho postado com frequência e veemência minhas opiniões políticas. Percebi que tenho bons amigos que talvez discordem de mim. Percebi que há espaço para discordarmos nessas questões. Pode ser que eu não esteja certa a respeito de tudo. Então, se magoei ou ofendi você com alguma coisa que tenha postado, peço desculpas.

Eu não esperava essa. Se a tivesse bloqueado — ou mesmo ocultado suas publicações —, jamais teria visto essa mensagem bela e redentora. Não teria tido a oportunidade de ser lembrada de que o amor de Deus é amplo e abrange todos nós. Às vezes as pessoas mudam! Ironicamente, naquele dia foi o Facebook que me lembrou disso.

REGISTRANDO UM EXAME DIÁRIO

Dias 11 a 20

Como está indo? Faça uma avaliação de sua lista para os primeiros dez dias.

O que você nota quanto ao que o está incomodando?

O que você nota quanto ao que lhe deu alegria?

Aqui está o espaço para preencher nos próximos dez dias.

DIA 11

1. ___________________________________

2. ___________________________________

DIA 12

1. ___________________________________

2. ___________________________________

DIA 13

1. ___________________________________

2. ___________________________________

DIA 14

1. ___________________________________

2. ___________________________________

DIA 15

1. ___________________________________

2. ___________________________________

DIA 16

1. ____

2. ____

DIA 17

1. ____

2. ____

DIA 18

1. ____

2. ____

DIA 19

1. ____

2. ____

DIA 20

1. ____

2. ____

"A vida se move muito rápido. Se você não parar e olhar ao redor de vez em quando, pode perdê-la."

FERRIS BUELLER

5

RESSOANDO EM MEUS OUVIDOS

O Deus que me vê

1. O que está incomodando você? Fico magoada com os comentários e ações dos outros e estou duvidando de mim mesma.
2. O que lhe deu alegria? Por meio das Escrituras e da direção espiritual, Deus está me mostrando meu verdadeiro eu.

No início de minha vida profissional, quando eu estava voltando do almoço com um grupo de colegas, começamos a falar sobre um colega homem e como ele se relacionava com mulheres. Comentei que gostava de trabalhar com ele. A resposta foi: "Ele não se dá bem com mulheres fortes". A implicação, é claro, era que eu não era uma mulher forte, e era por isso que me dava bem com ele. Aquilo plantou dentro de mim uma semente perversa de dúvida sobre mim mesma — do tipo que brota como um dente-de-leão, que é difícil de remover e, quando deixada na terra, se espalha com facilidade.

Interroguei-me sobre meu relacionamento com esse colega à luz desse comentário nos dias que se seguiram — questionando minhas ações, indagando-me se meu bom relacionamento habitual com ele significava que eu não estava sendo forte. Perguntando-me por que essas mulheres — havia duas envolvidas — diriam algo tão ofensivo. Reuni coragem para conversar com uma delas posteriormente, mas fui repelida.

Enquanto as sementes de dente-de-leão se espalhavam por novos terrenos, vi-me recaindo em ciclos mentais negativos repetidas vezes. Perguntava-me: "Não sou uma mulher forte? Preciso mudar meu relacionamento com esse colega porque estou errando de alguma forma?".

DEUS OUVE E VÊ

Costumo recorrer às Escrituras quando estou magoada. Embora saiba que milhares de anos me separam das pessoas e acontecimentos das Escrituras, eu me vejo naquelas histórias. Mais do que isso: o Espírito de Deus pode falar comigo em um momento de necessidade por meio da Palavra sagrada. A história de Hagar em Gênesis 16 costuma ser uma fonte de consolo para mim.

Nesse texto, Hagar, uma serva, é dada por Sarai, sua dona, ao marido de Sarai, Abrão, porque a própria Sarai não conseguia engravidar. Agora Hagar está grávida. Sarai sente que Hagar a despreza, então se queixa ao marido a respeito da serva. Abrão responde: "Faça com ela o que lhe parecer melhor" (Gn 16.6). E o texto nos conta que Sarai "tratou mal Hagar".

Hagar não tem onde encontrar apoio. Foi traída tanto pela dona quanto pelo pai de seu filho. Então ela foge.

Vemos Hagar sozinha no deserto. Um anjo a encontra perto de uma fonte e começa a falar com ela, oferecendo-lhe uma visão de muitos descendentes que virão a partir de seu filho, mas descrevendo também o filho dela como uma pessoa que entrará em conflito com os que o cercam. O anjo diz que o filho será chamado Ismael, que significa "Deus ouve".

Hagar responde oferecendo um nome para o Senhor: "'Tu és o Deus que me vê', pois tinha dito: 'Aqui eu vi aquele que me vê'".

O Deus que me vê, Palm Springs

Quando fui tratada injustamente ou me senti deixada de lado pelos outros em algum sentido, achei que ajudava me colocar nessa cena, vendo-me na presença de um anjo de Deus em um agradável oásis no meio do deserto. Nunca ouvi toda a história do meu futuro como Hagar ouviu, mas essa passagem me lembra de que Deus me vê e me conhece intimamente.

Minhas amigas Gayle, Karen e Mary Jean organizaram um retiro em que trabalhavam com essa passagem valendo-se de uma abordagem chamada "pensamentos rimados". Elas aprenderam essa forma de meditação no livro *Joyful Journey* [Jornada alegre], que ressalta que a poesia hebraica rima pensamentos em vez de sons. Essa ideia levou os autores desse livro a explorarem formas de entrelaçar nossos pensamentos aos pensamentos de Deus: "Sabemos que, quando ficamos íntimos de alguém, começamos a completar as frases e pensamentos da outra pessoa [...]. É exatamente isso que pode acontecer entre nós e Deus".[1] *Joyful Journey* apresenta um padrão de oração que nos ajuda a conectar nossos pensamentos com os pensamentos de Deus. Para moldar esse padrão, a começar da experiência de Hagar, Gayle imagina Deus vendo-a, escrevendo assim:

> Vejo você no quintal ao raiar do dia. Vejo-a desfrutando da doce paz da manhã. Vejo-a abraçando esses momentos de silêncio. Ouço sua calma respiração. Ouço as dores e sofrimentos de seu corpo também. Ouço sua gratidão por pequenas coisas. Entendo seu desejo de saber o que virá a seguir. Entendo o modo como o medo lhe perturba o dia. Entendo que você quer encontrar o caminho para casa — para a alegria e a paz. Gayle, estou feliz de estar com você e abraçar suas fraquezas com afeto. Posso revigorar-lhe o corpo. Posso lhe oferecer mais paz, mais amor. Posso encontrá-la à mesa da Comunhão nesta noite.[2]

É um processo que estimula uma conexão mais profunda e mais íntima com Deus e uma percepção de como ele fala conosco.

O momento de pedir a ajuda de Deus no último passo do processo de pensamentos rimados é onde fico presa ou paralisada, e frequentemente preciso de orientação. Embora eu não acredite em um Deus de respostas fáceis, na verdade minhas orações costumam centrar-se em como Deus poderia resolver os problemas da vida de acordo com minha agenda e programação. Eu estava prestes a aprender mais a respeito de como discernir e abraçar as verdadeiras promessas de Deus para mim.

PRÁTICA: PENSAMENTOS RIMADOS

Siga o modelo abaixo para escrever seus próprios pensamentos rimados imaginando Deus falando com você nas cinco maneiras a seguir.[3] Comece onde está neste momento. Escreva o que escuta de Deus.

1. **Eu a vejo.** Hagar diz: "Tu és o Deus que me vê" (Gn 16.13). *Descreva o local onde está e como está se sentindo neste momento.*

2. **Eu a ouço.** Sobre o filho que ela espera, o anjo diz, "Dê a ele o nome de Ismael, pois o SENHOR ouviu seu clamor angustiado" (Gn 16.11). *Continue a escrever para si mesmo na voz de Deus. O que Deus ouve em seus pensamentos internos? Você está se criticando? Sua respiração é superficial ou profunda? Você está agitado? Com medo?*

3. **Entendo quão difícil isso é para você.** Quando analisamos a situação de Hagar provavelmente sentimos compaixão por ela. Todavia, como foi observado em *Joyful Journey*, "Muitas vezes negamos a nós mesmos a permissão de receber consolo por momentos de dor aparentemente pequenos. Minimizamos nossas agruras aparentemente menores, se comparadas ao que consideramos como maiores mudanças de outros. Fazemos isso com nós mesmos e com os outros. Deus, contudo, vê, ouve, sabe e entende por que um problema específico é tão grande para nós".[4] *Escreva palavras de compaixão e entendimento de Deus para você.*

4. **Estou feliz em estar com você.** Na história de Hagar, vemos Deus tomar a iniciativa de abordá-la sob a forma de um anjo. Quer o que esteja nos incomodando venha de causas externas, quer seja resultado de nossos próprios erros, Deus nunca se sente repelido por nós. Ele sempre quer se aproximar e oferecer cura e presença. *O que você sente que Deus está lhe oferecendo?*

5. ***Posso fazer algo para você.*** O anjo do Senhor faz uma promessa a Hagar: "Eu lhe darei tantos descendentes que será impossível contá-los" (Gn 16.10). Deus também diz a Hagar que volte para a dona — algo muito difícil. Deus sempre oferece sua presença. E há outras dádivas à nossa volta também. No exemplo de Gayle, Deus lhe oferece descanso físico e a dádiva da mesa de Comunhão. *Como Deus estará com você e o ajudará?*

DEUS FALA

O pai de Spencer me deixou quando nosso filho estava com nove meses. Muitas palavras foram ditas entre nós. Palavras que plantaram sementes de dúvida sobre como eu via toda a história de nosso relacionamento e casamento. E sobre como eu via a mim mesma e meu próprio valor.

Durante algum tempo tive esperança e desejo de que ele voltasse e que o casamento pudesse ser salvo. Quis buscar a Deus de um modo mais profundo e entender o que ele queria de mim em tudo isso. Verdade seja dita, eu esperava que Deus me contasse meu futuro como o anjo fizera com Hagar.

Preparei-me para um retiro de quatro dias na abadia de São Procópio, em Lisle, Illinois. Marilyn Stewart concordou em me encontrar todos os dias a fim de me dar direção e orientação espiritual. São Procópio é uma abadia beneditina. Os participantes são convidados a orar e cantar, ou salmodiar com os monges para assinalar as horas litúrgicas cinco vezes ao dia. Isso criou uma estrutura para o meu dia. Há também um monge encarregado de organizar as refeições, conversando com os hóspedes e visitantes. Isso tudo é parte da visão beneditina sobre oferecer hospitalidade.

Recebi um bom atendimento e tive contato com pessoas, de modo que a solidão não se abateu sobre mim. Apesar disso, foi um tempo sombrio e difícil. Muitas lágrimas. Muitas lutas internas. Com a ajuda de Marilyn, consegui lidar com muitas dificuldades — inclusive minhas expectativas sobre Deus.

Acabei entendendo que Deus não iria forçar meu marido a se arrepender e retornar ao casamento. Deus nos projetou para sermos pessoas que escolhem livremente. Comecei também a entender que Deus tinha solicitações a meu marido, tanto quanto a mim. Mas as únicas escolhas que eu podia controlar eram as minhas.

Quando chegamos ao final dos dias de retiro, Marilyn me disse:

— Deve haver uma promessa. Acredito que Deus quer lhe oferecer algo a partir das Escrituras.

Eu estava lendo o livro de Isaías e praticando a *lectio divina*. Essa forma de meditação sobre as Escrituras nos tira de nós mesmos e nos leva à presença do Espírito Santo para que possamos ouvir a voz de Deus falar particularmente a nós a partir do texto sagrado.

Quando cheguei a 43.10, estanquei diante das palavras "você é meu servo [...] escolhido". Eu sabia, no fundo da alma, que aquelas palavras eram palavras de Deus para mim.

"Você é minha testemunha, ó Israel!", diz o SENHOR.
    "Você é meu servo.
Foi escolhido para me conhecer, para crer em mim,
    para entender que somente eu sou Deus.
Não há outro Deus,
    nunca houve e nunca haverá."

Em meu pensamento confuso, acreditei que meu testemunho e até meu trabalho em uma editora cristã haviam sido prejudicados pelas escolhas de meu marido. Mas por meio daquele texto Deus me fazia um chamado.

PRÁTICA: *LECTIO DIVINA*

O processo de ler as Escrituras no estilo da *lectio divina* é bastante simples. Escolha uma passagem — não mais do que um capítulo da Bíblia, talvez menos. (Algumas sugestões de textos-chave para reflexão encontram-se ao final deste capítulo.) Então leia toda a passagem três vezes. Leia-a em voz alta pelo menos em uma das vezes. Você pode também escutá-la em um aplicativo de leitura das Escrituras. Esteja alerta para qualquer palavra ou frase curta que mexa com você. Pode até ser que o incomode ou provoque. Este não é o momento de estudar ou analisar o texto, mas simplesmente de se concentrar em uma palavra. Pergunte a Deus sobre essa palavra ou palavras. Qual é a mensagem dessas palavras para você hoje? Manifeste gratidão pelo que ouve. O passo final desse processo é simplesmente a calma contemplação da presença de Deus.

Marilyn afirmou isso quando compartilhei a passagem com ela. Então, quando orou por mim, ela teve uma visão que era "o caminho é longo, mas a estrada é ampla". Eram palavras indicando dificuldades à frente — não muito diferentes das palavras sinistras sobre Ismael que Hagar ouviu —, mas havia também uma esperança e leveza na promessa de uma estrada ampla.

LEMBRETES DE AMOR

Fiz para mim mesma um álbum de recortes nesse período de separação. Nele coloquei os bilhetes, cartões e cartas de amigos e familiares. Esses bilhetes eram lembretes de seu amor. Havia palavras de sabedoria, poemas e versículos das Escrituras. Tudo aquilo me dava esperança e profundo consolo. Esses tipos de lembretes concretos de amor me ampararam durante alguns dias sombrios. Esses bilhetes amáveis me ajudaram a lembrar-me de ser gentil comigo mesma. Acrescentei páginas com versículos-chave das Escrituras que me lembravam do amor de Deus por mim e apontavam o caminho rumo à esperança. Uma passagem que me comovia bastante naquela época era "O SENHOR está perto dos que têm o coração quebrantado e resgata os de espírito oprimido" (Sl 34.18). Comecei a "iluminar" esses textos com arte como forma de meditação.

O marido de Marilyn Stewart, Doug, escreveu em um guia de retiro sobre os modos pelos quais experimentamos a aproximação de Deus em todas as emoções: "Deus está conosco, apesar das aparências em contrário e de nossas falhas e sentimentos de desolação e medo. Deus conhece nossos pensamentos e nossa situação, e quer introduzir palavras revigorantes em nossa vida, para que sejamos renovados em energia, alegria e esperança, e vivamos como os que estão 'esperando pelo Senhor'".[5]

Hoje em dia guardo em minha escrivaninha um bilhete escrito a mão para mim por meu avô cerca de trinta anos atrás no bloco de notas da Sociedade Imobiliária Bunch. Meu avô raramente me escrevia, e o bilhete parecia refletir sua personalidade e valores. Dizia simplesmente: "Trabalhe duro.

Poupe dinheiro". Mas, para mim, dizia também que ele estava pensando em mim e se preocupava com minha vida.

O Senhor está perto: "O Senhor está perto dos que têm o coração quebrantado e resgata os de espírito oprimido" (Sl 34.18). Tecido vermelho e branco sobre fundo preto, 1999

Quando um grupo se reuniu durante o almoço no escritório para conversar sobre as práticas espirituais que nos estimulam durante o dia de trabalho, um item fundamental mencionado foram lembretes de quem somos como filhos de Deus. São elementos que nos levam de volta a nós mesmos quando o trabalho ou a vida se tornam um tanto estressantes. Elementos como:

- uma citação favorita pendurada na parede
- um desenho de Jesus feito por uma criança
- uma cruz simples de madeira para segurar nas mãos
- uma caneta dada por um mentor

Passagens das Escrituras podem funcionar desse modo para mim. Há passagens das Escrituras às quais retorno em tempos de dúvida, dor ou confusão. São as passagens que me ajudam a saber que sou amada de modo especial por Deus. Relê-las me lembra dos tempos em que senti que a Palavra de Deus estava falando diretamente a mim.

A imagem de Deus como um pastor protegendo as ovelhas e conduzindo-as à bondade no salmo 23 é poderosa. Criei uma colagem que me ajuda a pensar em Deus me guiando como um pastor quando estou sobrecarregada com o trabalho que está diante de mim.

Precisando de um pastor. Colagem de imagens de revista com uma leve camada de tinta diluída

PRÁTICA: CARTÕES DE LEMBRANÇA

Linda Richardson, reverenda e diretora espiritual anglicana, tem o hábito encantador de distribuir, em sermões ou retiros que esteja conduzindo, belos cartões de 7 x 12 cm com um texto das Escrituras e uma gravura. Esses cartões são auxílios maravilhosos para a oração e a meditação. Servem também como lembretes de onde estivemos com Deus e do que aprendemos. Você pode criar seus próprios cartões de lembrança.

Escolha cerca de cinco versículos das Escrituras ou mensagens de Deus significativas — palavras que Deus dirige a você. Por exemplo, as palavras de Hagar: "Tu és o Deus que me vê". Ou esta: "Não se preocupem com a vida diária, se terão o suficiente para comer, beber ou vestir. [...] Observem os pássaros. Eles não plantam nem colhem, nem guardam alimento em celeiros, pois seu Pai celestial os alimenta" (Mt 6.25-26). Escreva cada versículo de um lado de um pequeno cartão de 5 x 7 cm ou 7 x 12 cm.

No verso, escreva uma frase ou mensagem curta para si mesmo, com empatia. Expresse os pensamentos como quem fala com um amigo. Por exemplo: "Tudo bem você se sentir assim". Tente usar linguagem visual, imaginando um amigo que conhece você e gosta de você não importa o que aconteça.

Se quiser, acrescente imagens usando colagem (você pode recortar gravuras de uma revista) ou suas próprias ilustrações para criar algo que lhe dê ânimo.

Aqui estão alguns versículos que são um lembrete do amor de Deus por nós e que indicam o caminho para a gentileza com nós mesmos.

O Senhor é meu pastor,
e nada me faltará.
Ele me faz repousar em verdes pastos
e me leva para junto de riachos tranquilos.
Renova minhas forças
e me guia pelos caminhos da justiça;
assim, ele honra o seu nome.
Mesmo quando eu andar
pelo escuro vale da morte,
não terei medo,
pois tu estás ao meu lado.
Tua vara e teu cajado
me protegem.
Preparas um banquete para mim
na presença de meus inimigos.
Unges minha cabeça com óleo;
meu cálice transborda.
Certamente a bondade e o amor me seguirão
todos os dias de minha vida,
e viverei na casa do Senhor
para sempre.

Salmo 23

Tu formaste o meu interior
e me teceste no ventre de minha mãe.
Eu te agradeço por me teres feito de modo tão extraordinário;
tuas obras são maravilhosas, e disso eu sei muito bem.

Salmos 139.13-14

Portanto, o Senhor esperará até que voltem para ele,
para lhes mostrar seu amor e compaixão.
Pois o Senhor é Deus fiel;
felizes os que nele esperam.

Isaías 30.18

Então sua luz virá como o amanhecer,
e suas feridas sararão num instante.
Sua justiça os conduzirá adiante,
e a glória do SENHOR os protegerá na retaguarda.

Isaías 58.8

Quando ele ainda estava longe, seu pai o viu. Cheio de compaixão, correu para o filho, o abraçou e o beijou.

Lucas 15.20

Jesus olhou em volta e viu que o seguiam. "O que vocês querem?", perguntou.

João 1.38

6

QUANDO A VIDA ESTÁ EM COMPASSO DE ESPERA

Estabelecendo práticas de autocuidado

1. O que está incomodando você? Estou sofrendo pelo fim do casamento.
2. O que lhe deu alegria? Estou me lembrando de cuidar de minhas necessidades básicas.

Durante os meses de separação conjugal, eu me sentia alternadamente triste, zangada, esperançosa, em pânico, solitária e paralisada. Estávamos fazendo aconselhamento para casais e eu ainda tinha alguma esperança de que ele fosse querer dar uma nova oportunidade ao nosso casamento. De certa forma isso tornava tudo ainda mais confuso. Eu estava esperando por ele e tentando entender o que Deus estava pedindo de mim — e até o que eu queria para mim mesma. Meu retiro me havia ajudado a me ancorar no amor de Deus, mas eu ainda passava por períodos diários de sofrimento.

Eu estava de volta ao trabalho, que me fornecia uma forte rede de apoio e tarefas agradáveis para ocupar meus dias como editora. Ainda estava também amamentando, uma nova mãe tentando aprender a desempenhar as tarefas maternas. Meu suprimento de leite estava começando a ser afetado pelo estresse das demandas de trabalho e a separação, então esse era outro fator com que me preocupar. Como eu conseguiria viver com essa tensão, essa incerteza?

Lembro-me de aproveitar a rara oportunidade de me presentear com um passeio a um belo *shopping* nos primeiros meses de maternidade. Fiquei caminhando com Spencer contente em seu carrinho e me senti tão sem propósito. Nada me interessava. Eu estava entorpecida.

ESTADO DE LUTO

Nos períodos em que o que está nos incomodando é um grande fator de tensão na vida — mudança de casa, perda do emprego, divórcio, doença —, talvez nos sintamos em um estado de luto similar ao de quando alguém próximo morre, o que cria uma sensação de entorpecimento em relação a tudo o mais. Ou podemos nos ver em uma situação de ansiedade extrema. Andamos ao redor como pequenos caranguejos-eremita, permanecendo lá no fundo de nossa concha dura, mas ansiando por encontrar um lugar reconfortante para deitar a cabeça e descansar. No entanto, nada parece confortável, confiável ou seguro.

Buscando consolo

É em tempos de estresse intenso que precisamos ter ferramentas conhecidas à mão para nos amparar. É difícil aprender coisas novas quando a mente está acelerada ou vazia. Em seus cursos ensinando o Eneagrama escutei muitas vezes a autora

> "Tenha coragem para as grandes adversidades da vida e paciência para as pequenas; e quando tiver cumprido arduamente as tarefas diárias, vá dormir em paz."
>
> Victor Hugo

Suzanne Stabile dizer: "Todo mundo precisa de um terapeuta e um diretor espiritual. Encontre um agora para que esteja pronto quando precisar dele. Porque você vai precisar".

"O que você faz quando algo está incomodando você?", perguntei ao meu colega Joaquim. Ele me disse que tirava uma soneca ou tinha uma boa noite de sono. Depois, começava a fazer um plano de ação. Essa resposta — de que ele descansava antes de começar a enfrentar o problema — me surpreendeu. Ele é uma das pessoas mais produtivas que conheço. Mas o plano dele é sábio. Aponta o caminho básico para cuidarmos de nós mesmos a fim de estarmos prontos para enfrentar os problemas.

Em *O maravilhoso e bom Deus*, o primeiro exercício de treinamento para a alma que James Bryan Smith indica ao leitor é dormir! Ele escreve: "O sono é um ato de rendição. É uma declaração de confiança. É admitir que não somos Deus (que nunca dorme) e que isso é uma boa notícia. Não podemos nos forçar a dormir, mas podemos criar as condições necessárias para o sono".[1] Jim diz que muitos leitores comentaram com ele o quanto gostaram de iniciar sua jornada espiritual com o sono!

Aqui estão alguns de meus princípios de autocuidado:

- Longas caminhadas
- Manter conexões com a família e os amigos íntimos
- Adoração regular
- Leitura das Escrituras
- Um diretor espiritual
- Um conselheiro psicológico
- Dormir e descansar
- Comer bem

PRÁTICA: DE VOLTA AO BÁSICO

O que acha desses princípios? Faça uma lista para si mesmo como forma de registrar o que sabe ser verdade a seu respeito. Isso pode ser também uma oportunidade de dar graças pelas coisas que o ajudaram a superar tempos difíceis no passado.

PRESTE ATENÇÃO EM SI MESMO

Quando eu era jovem, a mesa de refeições muitas vezes era um local de risos — às vezes até às lágrimas. Lembro-me do que aconteceu à mesa de refeições quando meu irmão, talvez com sete anos na época, derramava comida em si mesmo repetidamente. Nosso pai olhou para ele e falou, com sua voz grave: "Preste atenção em si mesmo, filho". Aquilo nos fez rir e tornou-se uma frase repetida com frequência em nossa casa.

Embora tivesse sido meu irmão o repreendido à mesa naquele dia, percebi que também era culpada disso. No processo de aprofundamento de meus atos de autogentileza, estou aprendendo a prestar mais atenção em mim mesma — especialmente em minha parte física. Onde estou armazenando estresse ou dor em meu corpo? Entrar em contato com isso me ajuda a desvelar o que está me incomodando. E me ajuda a me curar.

Descobri que incorporar uma prática bastante simples de ioga — nada de plantar bananeira para mim — em minha vida me ajuda a ser mais consciente de meu corpo, a descarregar a energia nervosa ou colérica, tratar de meus pontos de dor e tensão ou simplesmente relaxar. Encontrei um ótimo curso no YouTube com uma abordagem que me dá o espaço de que preciso para colocar minha própria fé sobre o tatame. Então, quando faço um pouco de ioga, conecto-me com Deus e reflito sobre o movimento de Deus dentro de mim. Sou grata pelo meu corpo e meu Criador.

Entretanto, para ser totalmente sincera, confesso que, a princípio, achei os exercícios de respiração na ioga um tanto incômodos. "Estou aqui para me alongar e fazer um pouco de exercício; posso respirar no meu próprio ritmo", eu pensava. Mas, com o tempo, tornei-me mais consciente de quão superficial é minha respiração. Consigo sentir quando começo a segurar a respiração! É bom para mim lembrar-me de respirar fundo todos os dias.

PRÁTICA: EXAME CORPORAL

Reserve um momento para examinar seu corpo da cabeça aos pés. Feche os olhos e preste atenção ao couro cabeludo, rosto, pescoço, ombros, braços, dedos, torso, coxas, panturrilhas, pés e dedos dos pés. Onde sente dor? Deixe que se vá. Cansaço? Convide Deus a preenchê-lo. Observe a respiração. Como está? Inspire fundo algumas vezes e solte o ar. Essa é uma prática que você pode executar várias vezes ao dia só para examinar a si mesmo e como está se sentindo.

ADORAÇÃO

A complexidade do período de separação conjugal fez com que eu achasse melhor abandonar nossa igreja. Um período de sofrimento não é, na verdade, a melhor época para procurar por uma nova igreja. Levei cerca de cinco anos para me considerar integrada à comunidade de uma igreja novamente.

Embora minha fé tivesse raízes na Igreja Batista Americana, já há algum tempo me sentia atraída para a tradição litúrgica. Durante os anos de seminário batista alguns de meus amigos e eu começamos a nos infiltrar sorrateiramente nas cerimônias católicas e anglicanas.

A orientação espiritual de Marilyn durante esse período foi que eu abraçasse a liturgia. A liturgia não exige muito de nós — embora ofereça uma oportunidade para a atividade e consentimento corporal, na medida em que ficamos em pé, sentamos, ajoelhamos e respondemos verbalmente. Pode se tornar um local de consolo e rotina em tempos de angústia. Marilyn falou que a eucaristia semanal seria reparadora para mim. Então comecei a frequentar uma igreja anglicana de clima agradável e acolhedor. Não tentei estabelecer contato com as pessoas. Apenas ia e seguia a liturgia, e aquilo começou a criar raízes em mim.

Em um período em que sentimos que a vida está em compasso de espera, talvez percebamos que as palavras não vêm com facilidade. *O Livro de Oração Comum* está repleto de belas orações que usamos há séculos e estão, agora mesmo, sendo utilizadas em todo o mundo. Essas orações nos fornecem uma conexão espiritual com a comunhão de santos passados e presentes.

Aqui estão algumas passagens do *Livro de Oração Comum*, começando com a oração matutina:

> Ó Deus, Rei eterno, que com tua luz separas o dia da noite e transformas a sombra da morte na manhã, afasta-nos de todos os desejos errôneos, inclina nosso coração a cumprir tua lei e guia nossos passos rumo ao caminho da paz, de modo que, tendo feito tua vontade alegremente durante o dia, possamos, quando a noite chegar, rejubilar-nos em dar-te graças; por meio de Jesus Cristo, nosso Senhor. Amém.

Em seus textos, Tish Warren chamou minha atenção para esta oração ao fim do dia, na hora litúrgica das Completas:

> Vela, Senhor amado, com aqueles que trabalham, vigiam ou choram esta noite, e manda teus anjos guardarem aqueles que dormem. Cuida dos enfermos, Cristo Senhor; dá repouso aos cansados, abençoa os que estão para morrer, consola os que sofrem, compadece-te dos aflitos, protege os alegres. Tudo isso em nome do teu amor. Amém.

Especialmente em períodos em que o sono é difícil, essa é uma oração providencial.

A "Oração dos Oprimidos" é poderosa quando não se tem palavras para a dor e o sofrimento deste mundo:

> Olha com piedade, ó Pai celestial, para o povo nesta terra que convive com injustiça, terror, doença e morte como seus companheiros constantes. Tem misericórdia de nós. Ajuda-nos a eliminar a crueldade para com nosso próximo. Fortalece aqueles que passam a vida defendendo proteção igual perante a lei e oportunidades iguais para todos. E concede que todos nós possamos desfrutar de uma porção justa das riquezas desta terra; por meio de Jesus Cristo, nosso Senhor. Amém.

PRÁTICA: ORAÇÃO LITÚRGICA

Encontrar orações litúrgicas que sejam significativas para você e orá-las regularmente ajudará a gravar essas palavras em sua mente, proporcionando sustento para tempos difíceis. Essas orações se tornam nossas palavras quando nos faltam palavras. A beleza dessas orações pode também adicionar alegria ao dia a dia. Talvez você queira transformar sua oração em uma experiência de corpo todo, ajoelhando-se enquanto ora ou acendendo uma vela para evocar as sensações visuais, táteis e olfativas. Pode-se encontrar o *Livro de Oração Comum* em inglês em <bcponline.org>. [Em português: <anglicananobrasil.com/on/loc-livro-de-oracao-comum/>].

Os salmos também foram de grande consolo para mim em meu período de sofrimento. As antigas palavras de oração ecoaram tanto minha dor quanto minha raiva. Eu me sentia abandonada, envergonhada, destituída. Os salmos me deram palavras para o que estava vivenciando quando eu não encontrava palavras para orar. Os salmos nos dão permissão de nos entregar totalmente a Deus. O salmo 71 era um com o qual eu me afinava de modo especial.

Em ti, SENHOR, me refugio;
  não permitas que eu seja envergonhado.
Salva-me e resgata-me,
  pois tu és justo.
Inclina teu ouvido para me escutar
  e livra-me.
Sê minha rocha de refúgio,
  onde sempre posso me esconder.

Dá ordem para que eu seja liberto,
pois és minha rocha e minha fortaleza.

Salmos 71.1-3

PRÁTICA: ORANDO OS SALMOS

Durante os últimos anos a equipe de editores com quem trabalho vem se reunindo toda segunda-feira de manhã para todos lermos juntos um salmo em voz alta. É um método maravilhoso, orar os salmos um por um, pois os salmos refletem vários estados de espírito. Os salmistas nos lembram de que podemos entregar todas as nossas emoções a Deus. Talvez você queira tentar falar as palavras em voz alta ao orar, para incorporar a sensação auditiva. Eis alguns salmos para diferentes necessidades espirituais e emocionais. Que as palavras dos salmos lhe deem a liberdade para oferecer sua dor e alegria a Deus!

Raiva: Salmos 55; 140
Tristeza: Salmos 13; 119.81-82
Ansiedade: Salmos 27; 37
Dor: Salmos 43; 55; 77
Alegria: Salmos 34; 103
Ódio: Salmos 18.16-19

A ALEGRIA E A DOR

Nas cartas que redigiu na prisão enquanto esperava sua execução, Dietrich Bonhoeffer escreveu sobre como experimentamos o luto após a perda de uma pessoa de quem éramos muito próximos. Acredito que o que ele escreve aqui se aplica a vários tipos de perda: "Quanto mais belas e plenas as recordações, mais difícil a separação. Mas a gratidão transforma o tormento da recordação em alegria silenciosa. Encaramos o que foi belo no passado não como um espinho, mas como uma preciosa dádiva no fundo de nós, um tesouro oculto com o qual sempre poderemos contar".[2] Para mim, o tesouro que conservei do casamento foi meu filho.

Essa alegria profunda que Bonhoeffer descreve é fruto de aprender as práticas de corpo inteiro que nos amparam quando nos permitimos sentir a perda e a dor. É fruto de buscar a gratidão, de buscar a Deus em meio à dor. À medida que aprendemos a cuidar de nós mesmos e a nos aproximar das coisas que nos dão profundidade, descobrimos novos caminhos para a alegria.

7

NÃO ERA PARA TER CHOVIDO HOJE

Descobrindo o que está por trás

1. O que está incomodando você? Meu voo foi cancelado.

2. O que lhe deu alegria? Fazer uma colagem me pôs em contato com meus sentimentos.

Planejei apenas uma viagem curta neste verão — para encontrar meus pais e meu irmão e sua família, na região de Poconos, em um fim de semana prolongado. Estávamos tendo um julho quente em Chicago, e eu estava na expectativa de me sentar junto ao lago fresco em uma rara visita. Dan fez a gentileza de me levar de carro para o trabalho a fim de que eu pudesse seguir diretamente para o aeroporto às cinco da tarde. Era um dia tempestuoso de verão, e meu voo estava atrasado quando cheguei. Só uma hora. O aeroporto estava lotado, com mais passageiros à espera do que eu jamais havia visto, espalhando-se pelo chão diante dos portões de embarque. E o voo foi adiado por mais uma hora. Então o portão de embarque mudou. Depois, outro adiamento. Após quatro horas de atraso, segui para outro portão, onde um avião estava pronto para o embarque. No momento em que o embarque ia iniciar, o voo foi cancelado. Não havia outros voos disponíveis durante todo o fim de semana. Recebi o reembolso e chamei um carro de aplicativo de volta para casa às 22h30. Arrasada.

Decepções devido ao clima. Amigos que desistem dos planos. Voos cancelados. Às vezes essas mudanças nos deixam à deriva. E nossa mente gira com pensamentos sobre o que era para ter acontecido, mas não está acontecendo.

Perguntei a alguns amigos o que fariam nessas circunstâncias. Minha amiga Christy Pauley respondeu sabiamente que, se não era algo que estivesse sob o controle dela, tentaria "perdoar ou aceitar e então me ocupar com um passatempo ou algo produtivo". Acrescentou: "Isso melhoraria meu estado de espírito e me impediria de ficar remoendo o ocorrido". Então confessou que às vezes um aborrecimento a leva a uma maratona na Netflix.[1] É bom ter amigos que não têm vergonha de ser sinceros!

Nessas situações, precisamos nos sentar por um instante e nos sintonizar com nossos sentimentos de frustração ou decepção. No entanto, às vezes o melhor caminho não é necessariamente tentar se sentar e meditar, mas se levantar e fazer algo mais: jogar um jogo de tabuleiro com o filho, sair para caminhar ou correr, experimentar uma nova receita.

Por outro lado, também é fácil escolher a Netflix. Ou ir fazer compras. Ou passar horas nas redes sociais. Ou matar o tempo jogando no computador ou *on-line*. Quando refletimos sobre alguns de nossos hábitos rotineiros, precisamos nos dar um pouco de folga, mas também sabemos que a verdade é que essas distrações não criam necessariamente a alegria profunda que estamos buscando.

As boas distrações nos levam para longe do que nos está incomodando e para perto da presença de Deus. Talvez não sejam atividades que consideramos "espirituais". Podem incluir carpintaria, jardinagem, tricô, cozinhar um novo prato ou tocar um instrumento. Estou pensando nas atividades que nos ajudam a relaxar e nos afastam a mente do que nos está incomodando.

A definição do que é ou não uma distração útil pode variar para cada um de nós. Nos domingos, gosto de tirar um dia de descanso do trabalho e dos afazeres. Às vezes trabalho em jardinagem no domingo. Tento manter essa atividade leve e divertida de um modo criativo e que me conecte ao solo. Todavia, a jardinagem facilmente se transforma em algo extenuante quando trabalho durante muito tempo, ou quando há muitas ervas daninhas, ou quando fico obcecada em "terminar a tarefa" em vez de assumir um estado de espírito tranquilo. É algo que tento monitorar em mim mesma quando penso em como passar os domingos.

PRÁTICA: COMO VOCÊ SE DISTRAI?

Faça duas listas. Na primeira, liste algumas das formas negativas por meio das quais você costuma se distrair quando está triste, zangado ou frustrado. Escreva em um pedaço de papel em vez de em um diário, e rasgue em pedaços, se quiser. Então ofereça tudo isso a Deus.

Depois volte à sua lista de alegrias nos últimos dez dias. Liste uma ou mais atividades que gostaria de realizar como distrações positivas da próxima vez que estiver bem chateado, e acrescente outras ideias quando se sentir motivado.

Dê a si mesmo espaço para um processo livre de culpas. A meta aqui é identificar as atividades que nos trazem e não nos trazem alegria. O plano não é transformar as distrações positivas em novas tarefas para uma lista já longa demais ou para que tudo seja dirigido para a produtividade.

ORANDO QUANDO É DIFÍCIL SE CONCENTRAR

Como podemos lidar com a oração quando estamos frustrados, incomodados, decepcionados ou simplesmente não conseguimos nos concentrar?

A oração centrante, ensinada pelo padre Thomas Keating, tem sido uma prática útil para milhões de pessoas. Nessa prática, sentamos em silêncio por um período determinado e nos concentramos em uma palavra e/ou uma imagem. Há um ótimo aplicativo chamado "Centering Prayer" que oferece instruções rápidas sobre essa prática e um cronômetro com um som de gongo para auxiliar a concentração.[2]

A oração centrante é um antídoto para acalmar nossa mente inquieta e indisciplinada. Teresa de Ávila escreveu: "Quanto mais se tenta não pensar em algo, mais agitada a mente ficará e pensará ainda mais no que se deseja evitar".[3] Ao ensinar a oração centrante, o professor Martin Laird, da Universidade Villanova, refere-se ao pai da igreja do primeiro século, Evágrio, que discernia "a diferença entre a mera presença de um pensamento e algo dentro de nós (que ele chamava de paixão) que se apoderava do pensamento e o sacudia até transformá-lo em um comentário obsessivo espumante". Laird prossegue: "Esses padrões obsessivos dentro de nós geram ansiedade, sofrimento e a sensação de isolamento inquieto de Deus e dos outros".[4] A oração centrante nos proporciona uma forma de acalmar a mente e nos concentrar em Deus.

Todavia, a verdade é que essa oração centrante é difícil para mim. De vez em quando tento fazê-la, porque sei que ajuda a me tranquilizar. Pratiquei a oração centrante regularmente por recomendação de Marilyn Stewart durante meu retiro. Mas eis o que aconteceu recentemente quando tentei praticar seis minutos de oração centrante:

Coisas em que pensei durante a oração centrante

- Meu pescoço está doendo
- O gato está aconchegado em meu colo
- A festa de aniversário de Mary
- As férias de verão
- Falei a palavra certa na oração?
- Fogo na lareira
- O pescoço continua doendo
- Meus cabelos ainda estão molhados do banho
- Escrever um poema sobre o que pensei a respeito de fazer a oração centrante
- Facebook
- Seis minutos é tempo demais
- O fogo na lareira apagou

A "oração rabiscante" é outra forma de oração que achei proveitosa. É um modo de orar enquanto se escreve ou desenha. Considero-a um meio útil de me concentrar, porque minha mente está sempre agitada, repleta de pensamentos pulando como macaquinhos de galho em galho. A ideia aqui não é tanto escrever uma lista de oração, mas desenhar e rabiscar sobre o que desejamos comunicar a Deus. Posso listar o nome das pessoas pelas quais quero orar. Posso escrever tudo pelo que me sinto grata ou tudo pelo que anseio. Enquanto escrevo e oro, posso colorir e rabiscar ao redor das palavras que são o foco de minha oração.

ARTE COMO MESTRA

O ato de criar algo me faz sair de dentro de mim e me ajuda a centrar os pensamentos em Deus. Revela também camadas do que realmente está acontecendo lá dentro — preocupações, esperanças, remorsos, sonhos.

PRÁTICA: ORAÇÃO RABISCANTE

Aprendi a oração rabiscante com Sybil MacBeth.[5] Você pode encontrar recursos, inclusive modelos para a Quaresma e o Advento, no *site* <prayingincolor.com>. Uma forma simples de começar é desenhar uma linha ondulada e depois acrescentar folhas grandes o bastante para se escrever um nome. Preencha as folhas com o nome das pessoas pelas quais está orando. Então rabisque ao redor das folhas acrescentando cores e frutas.

Modelo para rabiscar orações

Nunca me considerei artista, porque acho difícil desenhar. Mas amo fazer colagens a partir de gravuras de revistas. Reparar nas imagens pelas quais me sinto atraída me ajuda a descobrir o que há dentro de mim quando estou agitada. O processo de me concentrar nas imagens, a materialidade de cortar e colar, todas essas coisas me ajudam a sair de dentro de mim mesma. Então oro e escrevo no diário meus pensamentos sobre o que vejo à minha frente. O que surge pode ser surpreendente.

PRÁTICA: COLAGEM

Escolha quatro ou cinco gravuras de revistas que caibam em um pedaço de cartolina de 12 x 20 cm. Tente encontrar uma mistura de pessoas ou animais com a natureza, assim como objetos materiais ou arquitetônicos. Concentre-se em imagens sem palavras a fim de abrir a mente para o significado que você empresta a essas imagens. Enquanto escolhe, repare tanto no que o atrai quanto no que lhe dá repulsa. Às vezes é importante trabalhar com ambos os tipos de imagens. Aprendi esse processo com Margaret Campbell, ex-presidente do conselho do Renovaré, e ela recomenda que se inclua um ser vivo em pelo menos uma das gravuras. Cole as gravuras com cola de bastão. Então sente-se em silêncio e peça que o Espírito Santo fale com você por meios dessas imagens. Escreva no diário o que descobrir.

Comecei a colagem *Criaturas* com a imagem comovente de um cervo olhando para a janela de uma varanda de um bairro residencial afastado, no meio do inverno. Foi uma forma de acertar as contas com minha própria frustração com os longos invernos de Chicago. Acrescentei a gravura da baleia saltando

Criaturas. Colagem de imagens de revista

(um animal que me fascina), um periquito (um pássaro vivaz, exótico e caseiro), um *poodle* comum (que me lembra de Jacques, o adorável *poodle* da fazenda de meu sogro), e uma novilha (um sinal do nascimento da primavera na fazenda). Tudo isso combinado me fez perceber o fato de que eu, também, sou uma criatura aos cuidados do Criador. Juntar tudo isso é um tipo de sequência de associação, que possibilita que cada imagem me leve a refletir sobre a outra. Então estabeleço as conexões entre elas como em uma oração.

Outra forma pela qual vivenciei o poder da arte foi em uma aula com Sheri Abel. Sheri é diretora espiritual e professora de francês da Wheaton College, e desenvolveu uma experiência de aula mensal que reúne a espiritualidade e a arte intuitiva por meio do processo que ela aprendeu em *The Open Studio Project* [Projeto Estúdio Aberto], em Evanston, Illinois. Envolve fixar uma intenção, por meio de uma sessão diária de *brain dump* [despejo cerebral], explorando a criação artística em um processo de abrir ao máximo o lado direito do cérebro, e depois escrever um diário sobre a experiência.

Como Sheri descreve, a criação artística envolve

- brincar, o que é revigorante
- seguir os impulsos e a curiosidade, estar disposto a deixar o que você começou a criar se transformar em algo mais
- envolver-se na criação sem um programa, sem tentar controlar a aparência da obra de arte
- colocar-se em um lugar de vulnerabilidade, expondo-se com a intenção de abrir-se
- confiar e entregar-se ao fluxo do processo criativo — como Deus projetou seu corpo, alma e mente para funcionarem

Sheri escreve: "Não é uma questão de habilidade. A arte que você cria é uma lembrança do processo e do que surge a partir da obra. É uma jornada com o Senhor enquanto aprendemos a relaxar e seguir o fluxo do processo criativo".[6]

Acho o processo intuitivo tanto libertador quanto tranquilizante. Ele me ajuda a explorar o que estou sentindo e descobrir o que há por trás.

Certa noite, na aula de Sheri, o modo como a criação artística se expressou para mim foi que comecei a pintar camadas de cor em um grande pedaço de papel marrom que havia prendido com fita crepe na parede. Aí passei por cima de tudo uma esponja com tinta dourada cintilante. Foi divertido e me fez sentir livre. E a tinta dourada unificou as cores. Porém, quando olhei para a obra, senti que estava presa ao mesmo estilo de pintura que havia adotado

> "Arte é tornar visível o que é invisível na vida de fé."
>
> EUGENE PETERSON

nas sessões anteriores. Então tirei da parede a folha de papel e a cortei em longas tiras. Depois comecei a entrelaçar os pedaços uns aos outros. Foi um longo processo, mas achei gratificante.

PRÁTICA: CRIAÇÃO ARTÍSTICA INTUITIVA

Você pode recriar essa experiência em sua casa, se tiver um porão ou garagem onde respingos sejam tolerados ou se confinar o trabalho a um cavalete ou uma grande prancha de desenho. Ou em um espaço público, como na academia esportiva da igreja. O apêndice fornece mais detalhes sobre o processo.

Depois de algum tempo percebi que não conseguiria terminar o trabalho no tempo disponível. Fiz com que a obra girasse, e então as faixas ficaram balançando. Gostei disso, pois as faixas pareciam ao mesmo tempo entrelaçadas e livres. Então vi alguns pequenos círculos espelhados entre os objetos que Sheri pusera à nossa disposição para usar. Entremeei alguns deles às faixas entrelaçadas.

Quando cheguei ao momento de escrever reflexivamente sobre a experiência, ocorreu-me que os espelhos sinalizavam para que eu visse a mim mesma refletida na obra. Pensei em como a arte se tornou mais bela para mim (de forma relativa — não é uma obra de belas-artes!) quando eu a picotei. Isso me pareceu similar a uma experiência de sofrimento que me faz sentir que estou sendo desmontada para que depois, em resultado, Deus possa me refazer.

O aspecto do entrelaçamento me fez ponderar que, embora às vezes seja difícil nos entrelaçarmos às pessoas e ainda sentir que temos liberdade, essa é a experiência que temos na vida com Deus. Quanto mais firmemente estamos entrelaçados a Deus, mais livres somos.

Deus me mostrou tudo isso por meio da experiência de orar brincando com tinta e papel durante noventa minutos na companhia de outros fiéis que compartilhavam dessa busca. Quando cheguei lá, em uma noite comum, não tinha a menor ideia de para onde me levaria essa viagem com Deus.

8

NÃO ACREDITO QUE ELE FEZ ISSO

Perdoando aos outros

1. O que está incomodando você? Estou zangada com o que ele fez.

2. O que lhe deu alegria? Extravasar minha raiva.

Primeiro rasguei cartões e cartas.

Aí passei a levar copos, canecas e outros objetos pequenos para fora a fim de quebrar na calçada ou no quintal — fora da vista dos outros.

Então olhei para a lareira de tijolos embutida no quintal, que usávamos para grelhar alimentos e para desfrutar de um descanso tranquilo em espreguiçadeiras nas noites de verão. Era uma característica da casa pela qual eu me apaixonara à primeira vista. Pensei em acender o fogo. Eu podia queimar algumas coisas do casamento que me parecessem significativas; isso talvez fosse uma forma de extravasar um pouco da dor. Achei que me ajudaria também a tornar concreto para mim mesma que aquele episódio terrível estava de fato acontecendo. Ele estava pedindo divórcio. O casamento chegara ao fim.

Então, como em outros casos de destruição, escolhi um momento em que estava sozinha e escolhi alguns objetos simbólicos — presentes que ele me dera, algumas fotografias, objetos que eu havia guardado do dia do casamento — e fiz uma pequena fogueira.

Ajudou um pouco. Outro passo em uma longa jornada que eu jamais gostaria de ter percorrido.

Quando rasguei, quebrei e queimei objetos, não estava pensando nisso como uma prática espiritual. Mas anos depois me lembrei desse passo em minha jornada enquanto trabalhava com Beth Slevcove no livro *Broken Hallelujahs* [Aleluias quebradas].

PRÁTICA: QUEBRAR OBJETOS

Fora do alcance da visão de crianças que possam achar isso chocante ou assustador, Beth Slevcove recomenda quebrar pratos como uma forma de superar a dor que, nas palavras dela, "permitirá que minha mente e músculos lidem com a raiva reprimida devido a alguma mágoa que eu tenha sofrido". Em seguida ela conta que, depois de varrer os cacos, às vezes os transforma em um mosaico, um modo de criar algo belo a partir da dor. Ou então apenas os joga no lixo.[1]

Vivenciar e extravasar a raiva é outra forma de aceitar a nós mesmos. Quando reconhecemos nossa dor e frustração internas, quando expressamos nossas perguntas mais difíceis a Deus, quando sentimos todos os nossos sentimentos, nós nos abrimos para a oportunidade de cura. Não estamos nos apegando ao negativo. Estamos abrindo nossos pensamentos mais sombrios à Luz. Nós os examinamos em um espaço seguro, sabendo que a luz calorosa do amor de Deus será o início de nossa cura e transformação.

Mary Mrozowski desenvolveu o conceito de oração de boas-vindas com base nos ensinamentos de Jean-Pierre de Caussade no século 18, junto com o ensinamento contemporâneo de

Thomas Keating.[2] A oração possibilita que todos comecemos a entrar em contato com tudo o que estamos sentindo e, assim, liberemos nossos sentimentos para a luz transformadora do amor de Deus. Ao dar boas-vindas a tudo o que estamos sentindo, estamos sendo verdadeiros com nós mesmos e com Deus, em vez de enterrar os sentimentos que parecem menos maduros, menos espirituais ou simplesmente menos desejáveis. A oração de boas-vindas aplaina o caminho para níveis mais profundos de autoaceitação e futuro perdão. Thomas Keating escreveu uma oração que fornece orientação ao longo do processo.

PRÁTICA: ORAÇÃO DE BOAS-VINDAS

Em uma postura relaxada, respire profundamente, e ore dizendo as seguintes palavras.

Oração de boas-vindas

Bem-vindo, bem-vindo, bem-vindo.
Dou boas-vindas a tudo o que venha a mim hoje
porque sei que é para minha cura.
Dou boas-vindas a todos os pensamentos, sentimentos,
emoções, pessoas, situações e condições.
Abro mão do desejo de poder e controle.
Abro mão do desejo de afeição, estima, aprovação e prazer.
Abro mão do desejo de sobrevivência e segurança.
Abro mão do desejo de mudar qualquer situação, condição, pessoa ou a mim mesmo.
Abro as mãos ao amor e à presença de Deus e à ação
de Deus em meu interior. Amém.

Padre Thomas Keating[3]

O OLHAR DE AMOR

Durante esses anos de cura, uma das mais amáveis e fiéis intérpretes da visão que Deus tem de mim foi Marilyn Stewart. Ela conseguia ver meus erros e me ajudar a identificá-los. Mas as conversas com ela eram tão repletas de carinho e amor que nunca era difícil aceitar as duras verdades. Eu sabia que ela acreditava em mim — muito mais do que eu mesma acreditava. Ela podia e queria extrair de mim cada vez mais a pessoa que Deus me projetou para ser. O olhar dela, ainda que penetrante, era sempre cheio de amor. É assim que se parece o amor de Deus.

Em *O dom de ser você mesmo*, David Benner escreve: "O genuíno autoconhecimento começa quando olhamos para Deus e notamos como Deus está olhando para nós. Basear nosso conhecimento de nós mesmos no conhecimento de Deus sobre nós nos ancora na realidade. Ancora-nos também em Deus".[4] O olhar de Deus é cheio de amor.

O olhar do amor de Deus nos edifica. Chama-nos a abandonar o que prejudica a nós e aos outros para que floresçamos na luz da graça. O olhar de amor possibilita que nos tornemos nosso verdadeiro eu.

Em Lucas 7 lemos sobre o encontro de Jesus com uma viúva quando ele chega à cidade de Naim acompanhado de uma multidão de seguidores. O caixão do filho morto da viúva estava sendo carregado, e havia uma multidão com ela. A impressão que temos é a de uma massa impressionante de pessoas convergindo.

Somos informados de que, quando Jesus viu a viúva, "sentiu profunda compaixão por ela". O texto continua:

Então foi até o caixão, tocou nele e os carregadores pararam. E disse: "Jovem, eu lhe digo: levante-se!". O jovem que estava morto se levantou e começou a conversar, e Jesus o devolveu à sua mãe.

Grande temor tomou conta da multidão, que louvava a Deus, dizendo: "Um profeta poderoso se levantou entre nós!" e "Hoje Deus visitou seu povo!". Essa notícia sobre Jesus se espalhou por toda a Judeia e seus arredores.

Lucas 7.14-17

Em um quadro a óleo contemporâneo que retrata essa cena, um caixão está sendo carregado e a viúva olha para o observador do quadro. Quando fitamos seu olhar, vemos a dor no rosto da viúva. Não vemos Jesus nessa imagem, mas podemos imaginá-lo retribuindo ao olhar dela. O pintor está nos convidando a entrar na cena e meditar sobre ela.

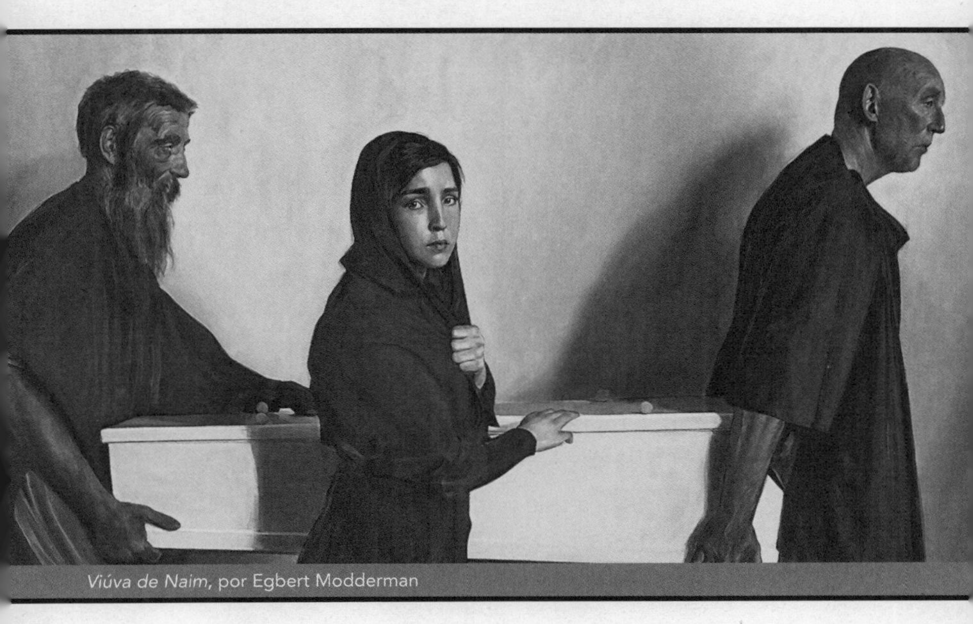

Viúva de Naim, por Egbert Modderman

PRÁTICA: MEDITAÇÃO, ENCONTRANDO O OLHAR DE JESUS

Imagine-se como uma das pessoas nessa cena. Você pode escolher ser um observador, um dos carregadores do caixão, a viúva ou o filho morto.

O que você vê, ouve, sente?

Olhe para Jesus. Como é estabelecer contato visual com ele?

O que Jesus quer de você?

O que Jesus lhe oferece?

Agora dê um passo atrás desse encontro com Jesus e olhe para Deus. Qual é sua impressão de como Deus o vê?

Há alguma diferença em como você imagina o olhar de Jesus e o de Deus? Se há, por que acha que isso acontece?

Medite sobre tudo o que observou. Peça a Deus que mostre o olhar de amor a você agora e nos próximos dias e semanas.

APROFUNDANDO O PERDÃO

Eu sabia que deveria perdoar meu ex-marido. Já de início, Marilyn me ajudou a entender que há uma diferença entre estar em um ponto em que eu poderia perdoar e estar em um ponto em que poderia me reconciliar. Essa última possibilidade jamais aconteceu. No entanto, com o tempo, achei que o havia perdoado. Eu não estava mais quebrando e destroçando as coisas que haviam feito parte do casamento. Havia ultrapassado o sentimento intenso de ódio. Acho que havia chegado a um ponto que poderia ser mais bem descrito como de apatia em relação a ele. Com o passar dos anos, senti-me livre para namorar e pensar em um futuro com outra pessoa.

Acabei encontrando Dan e suas filhas, Maggie e Mary. A alegria desse novo relacionamento me trouxe novos sentimentos de boa vontade em relação a meu ex. Essa mudança em mim evoluiu ainda mais pela expressão de felicidade de Dan por mim e por Spencer, que aos cinco anos vivia falando de como gostava de estar com Dan, Mary e Maggie. Pela primeira vez entendi que, se meu ex não queria mesmo dar uma nova chance ao casamento, então o melhor para mim seria que ele fosse em frente. Ele havia me libertado. E, com a ajuda de Deus e uma comunidade afetuosa, consegui procurar o amor novamente.

Passei de uma vaga falta de ódio por meu ex a realmente desejar-lhe o bem. Levou quatro anos. Foi uma ótima sensação. Foi a jornada de aprender quem sou como filha de Deus que me levou a esse ponto. Descobri que estas palavras da versão das Escrituras *A Mensagem* pintavam um glorioso retrato dessa notável transição do ódio ao retorno da experiência de amor.

> Mas ele me segurou — lá do céu,
> me alcançou no mar e me tirou dali,
> Daquele oceano de ódio, daquele caos destrutivo,
> do vazio em que eu me afogava.
> Fui espancado enquanto estava por baixo,
> mas o Eterno ficou do meu lado.
> Ele me pôs de pé num campo aberto —
> ali eu estava seguro, surpreso por ser amado!
>
> Salmos 18.16-19

REGISTRANDO UM EXAME DIÁRIO

Dias 21 a 30

Como está indo? Faça uma pausa para avaliar sua lista, agora que vinte dias se passaram.

O que você nota quanto ao que o está incomodando?

O que você nota quanto ao que lhe deu alegria?

Aqui está o espaço para preencher nos dez dias finais.

DIA 21

1. ______________________________________
2. ______________________________________

DIA 22

1. ______________________________________
2. ______________________________________

DIA 23

1. ______________________________________
2. ______________________________________

DIA 24

1. ______________________________________
2. ______________________________________

DIA 25

1. ______________________________________
2. ______________________________________

DIA 26

1. ___________________________________

2. ___________________________________

DIA 27

1. ___________________________________

2. ___________________________________

DIA 28

1. ___________________________________

2. ___________________________________

DIA 29

1. ___________________________________

2. ___________________________________

DIA 30

1. ___________________________________

2. ___________________________________

"Orar não é fácil. Exige um relacionamento em que se permite que alguém além de você mesmo entre bem no centro de sua pessoa, para ver ali o que você preferiria deixar oculto, e tocar ali o que você preferiria manter intocado."

Henri Nouwen

9

DESMORONEI SOB PRESSÃO

Fazendo uma coisa de cada vez

1. O que está incomodando você? Sobrecarreguei minha agenda de hoje e acabei gritando com meus filhos.
2. O que lhe deu alegria? Encontrar modos de reduzir o ritmo do meu dia.

Quando já fazia cerca de oito anos que Dan e eu estávamos casados, decidimos usar nossas milhas acumuladas e levar a família a uma viagem à Europa. Desse modo, seguimos para a Irlanda com três adolescentes.

Aterrissamos em Dublin no meio da manhã, em um glorioso dia de verão. Minha adrenalina vai às alturas diante da oportunidade de ver um novo lugar, então eu estava pronta para visitar os pontos turísticos. Todos os outros queriam uma refeição que, em minha opinião, demorou tempo demais. Consegui fazer com que todos fossem até a Trinity College em uma excursão, mas eles começaram a se arrastar, cansados do voo noturno. Embora a mais velha, Mary, ainda estivesse interessada em passeios turísticos, quando olhei ao redor em busca dos outros dois, encontrei-os deitados no adorável gramado entre os prédios querendo tirar uma soneca. Assim, nosso dia em Dublin acabou mais cedo. Fomos para o hotel, situado na longínqua zona rural, perto de Wicklow. O hotel ficava em um belo lugar e, apesar de meu dia não ter se passado exatamente como eu planejara, tivemos uma boa noite de descanso.

Eu havia feito pesquisas e mapeado todas as rotas para o dia seguinte. Embora eu não seja normalmente de planejar, gosto de me preparar para as férias, porque isso me permite devanear um pouco sobre como vai ser. Adoro ler sobre o lugar que vamos visitar e ficar imaginando tudo o que podemos fazer. Acrescento ao itinerário o maior número de passeios possível — e até mais, para o caso de algo não funcionar, de sobrar tempo ou de mudarmos de ideia sobre o que queremos fazer. A expectativa é parte da diversão para mim.

Se levantarmos cedo, pensei, poderemos parar para o almoço e ver as ruínas de um castelo a caminho de nossa pousada no litoral, na cidade de Dingle. Diversos guias turísticos mencionavam que o caminho era por estradas tortuosas, difíceis (como tudo na Irlanda, como vim a descobrir) e poderia levar mais tempo do que o GPS indicava. Por isso eu estava preocupada com o tempo de viagem.

Havíamos reservado dois quartos no hotel, e Maggie e Mary não acordaram no horário combinado. Batemos à porta e as chamamos, mas elas não acordaram nem assim. Finalmente, conseguimos que se levantassem, se vestissem e saíssem do hotel. Era um hotel tão simpático. Ninguém queria sair.

Paramos na cidade para o café da manhã em uma pequena padaria. Eu só queria pegar um bolinho e ir embora. Minha necessidade de ir para a estrada estava ficando cada vez mais forte. Levou um longo tempo até conseguirmos os bolinhos. Mais trinta minutos perdidos.

Eu estava de mau humor.

Quando chegamos à cidade com as ruínas do castelo, todos queriam almoçar. Então fomos a um *pub*. Mais uma vez, tudo foi lento, é claro. (Eu não estava levando em conta o fato de que restaurantes irlandeses não são, evidentemente, tão preocupados com a velocidade quanto os restaurantes em meu país.) Finalmente, conseguimos ver o castelo. Atravessamos o castelo correndo para podermos seguir viagem. Os guias turísticos diziam que não era bom pegar a estrada para Dingle depois de escurecer. Mas as crianças não pareciam interessadas no castelo, de qualquer jeito. Outro fracasso para mim. Tarde demais, percebi que não devia ter planejado aquele passeio. Só tornei todos infelizes.

A duração da viagem foi exatamente a que o GPS informou que seria, e chegamos a tempo. Mas meu humor continuou péssimo. As crianças eram lentas e não queriam se levantar para ir jantar.

Ao final do dia, quando estávamos sentados em um *pub* local escutando música, acabei gritando com Mary tão alto que nos pediram para sair do recinto. Meu desejo de fazer com que tudo coubesse e de capturar todos os momentos na Irlanda deixaram todos nós com um dia ruim para nos lembrar — resultado de sobrecarregar a agenda e da exaustão que deriva de uma viagem internacional, junto com algumas de minhas falhas persistentes, como impaciência e espírito crítico.

> "Os aspectos mais importantes de nossa vida não podem ser apressados. Não podemos amar, pensar, comer, rir ou orar com pressa. [...] Quando estamos com pressa – em decorrência da sobrecarga – nos tornamos incapazes de viver de modo consciente e com gentileza."
>
> James Bryan Smith

APENAS RESPIRE

A prática que me ajudou a suportar muitos dias difíceis, com agenda sobrecarregada — prática de que, infelizmente, não me lembrei na Irlanda — é a oração da respiração. Aprendi-a com Adele Calhoun no extraordinário *Spiritual Disciplines Handbook* [Manual de disciplinas espirituais]. Por meio da meditação, oração ou simples hábito espiritual, oramos pronunciando uma frase curta a cada inspiração e uma frase correspondente expressando nosso desejo a cada expiração. A Oração de Jesus (capítulo 3) pode ser incorporada à oração da respiração, por exemplo. Versículos curtos das Escrituras também podem se tornar nossa oração da respiração.

Minha amiga Wai Chin me diz que, quando o cérebro está estressado, nossa habilidade de raciocinar se fecha. Por esse motivo, é útil planejar anteriormente por meio de práticas espirituais simples e básicas que aprendemos a acionar sempre que o estresse ataca.

PRÁTICA: ORAÇÃO DA RESPIRAÇÃO

Um dos métodos de oração da respiração que Adele Calhoun sugere é pronunciar um dos nomes de Deus com uma inspiração e depois uma qualidade de caráter que combine com esse nome na expiração. Ela fornece os seguintes exemplos.

Inspire em "Aba", expire com "eu pertenço a ti".
Inspire em "Curador", expire com "basta uma ordem tua e serei curado".
Inspire em "Pastor", expire com "traz para casa meu filho perdido".
Inspire em "Senhor", expire com "aqui estou".[1]

Escolha uma oração e retorne a ela ao longo do dia como um lembrete de que Deus está por perto.

ESCOLHENDO O CAMINHO MAIS DEMORADO

Para iniciar com mais tranquilidade o dia de trabalho, tento preparar a viagem ao trabalho para ser tão relaxante quanto possível.

Durante dezoito anos, iniciei o dia levando meu filho para uma babá, nos primeiros anos, e depois para a escola. Durante os anos de ensino fundamental, desfrutamos da dádiva de um ônibus escolar que vinha buscá-lo, mas eu ainda precisava conseguir levá-lo para fora de casa. Durante os anos de ensino médio, eu me preocupava em fazer com que ele chegasse lá na hora — muito mais do que ele mesmo se preocupava. E muitas vezes ele quase se atrasou. Então eu acabava saindo da escola sentindo a adrenalina baixar por ter conseguido cumprir o primeiro prazo do dia.

Agora, quando passo pelas escolas dele, sinto falta das caronas para levá-lo e principalmente para trazê-lo de volta para casa. Quando meu filho era pequeno, a sábia autora e amiga Jan Johnson me encorajou a não desperdiçar os momentos no carro com ele. E ela estava certa. Geralmente aquelas eram as oportunidades mais produtivas e satisfatórias de conversar com Spencer.

Para aproveitar melhor essas viagens, apliquei a ideia de escolher intencionalmente o caminho mais demorado. Aprendi isso com Linda Richardson. Ela dá esse conselho espiritual para escolher tanto uma fila no supermercado quanto um caminho no trânsito. É um modo diário e simples de praticar andar mais lentamente.

Nos bairros de Chicago afastados do centro, aceleramos ao máximo as viagens de carro mudando de caminho com frequência se o trânsito fica lento. Porém descobri que um jeito mais sossegado de lidar com a direção é — com frequência, não sempre — escolher um caminho e permanecer nele!

Se eu simplesmente esperar pelo motorista que está virando à esquerda, perderei apenas segundos, no máximo alguns minutos. E poupo a mim mesma o estresse de tentar manobrar para mudar de faixa. É uma prática espiritual para mim.

Outra prática que sigo é evitar cuidadosamente a tentação de verificar o *e-mail* ou as redes sociais enquanto dirijo. Quando estou dirigindo, meu celular é apenas para GPS, *podcasts*, música e audiolivros. É claro que sabemos que essa é a prática segura a ser adotada, mas é possível que alguns de nós cometam infrações nesse ponto às vezes. Escolho não me dedicar a múltiplas tarefas quando o farol fecha.

Geralmente tenho alguma forma de entretenimento tocando enquanto estou dirigindo. Mas às vezes apenas deixo a mente vaguear. Ou só necessito de tranquilidade. O carro pode se tornar um espaço sagrado. Descobri que ajudava, em certos períodos de minha vida, tocar a mesma música todas as vezes que entrava no carro. A repetição se torna tranquilizante.

Mundos abrindo-se diante de mim

A mudança mais radical de todas é parar de dirigir. Alguns de nós vivem em regiões onde isso é possível. Meu colega Jon começou a ir de bicicleta até o trem — em vez de fazer a longa viagem de carro entre bairro e centro — para ir trabalhar de um jeito mais tranquilo. Outro benefício é que ele consegue realizar algum trabalho no caminho até o escritório. Além disso, arranjou tempo para se exercitar indo de bicicleta até o trem. Ele está achando esse modo de ir para o trabalho muito mais agradável.

PRÁTICA: MELHORE A JORNADA ATÉ O TRABALHO

Quando e como você passa a maior parte do tempo em que está dirigindo? O que gostaria de fazer para que houvesse mais alegria ou conexão com Deus durante o tempo que passa no carro?

Com o passar do dia, o número avassalador de tarefas que demandam simultaneamente minha atenção pode ir aumentando meu estresse. Como editora, sinto sempre a tensão entre os originais completados, com os autores nervosos esperando minha primeira leitura; os originais que já passaram pela preparação de texto aguardando minha segunda, terceira ou quarta leitura — com tanto o autor quanto o editor geral esperando que o livro passe à revisão — e o resto do que precisa ser feito para publicar um livro. Será que, em vez disso, eu deveria trabalhar nos detalhes que são necessários para preparar a próxima lista do catálogo — títulos, endossos, capas? Caixas de originais e capas se empilham literalmente diante da minha porta. Sou uma editora que é também diretora geral.

Isso significa que outras pessoas esperam que eu responda para que possam fazer seu trabalho. E há relatórios financeiros para ler, reuniões para planejar e outras de que preciso participar, contratos para aprovar e muito mais.

Às vezes percebo que começo a ofegar. Talvez até me dê conta de que estou prendendo a respiração. Preciso me lembrar de respirar. Pego minha pequena cruz e convido Deus a entrar em meu dia.

VOLTANDO À GENTILEZA CONSIGO MESMO

Tempos depois, relembrei aquele dia na Irlanda mais do que uma vez, com muitos arrependimentos.

Brené Brown diz que o arrependimento é uma função da empatia: "Creio que aquilo de que mais nos arrependemos é nossa falta de coragem, seja a coragem de ser mais gentil, a de nos expor, a de dizer como nos sentimos, a de fixar limites ou a de mostrar bondade a nós mesmos. Por esse motivo, o arrependimento pode ser o ponto de origem da empatia".[2] Assim, há o consolo de saber que o arrependimento significa que estou crescendo como pessoa. E a oportunidade de praticar a autogentileza novamente.

10

COISAS QUE NÃO QUERO FAZER

Transformando em gratidão

1. O que está incomodando você? Preciso levar meu carro para a inspeção de controle de emissão de poluentes.
2. O que lhe deu alegria? Conectar-me com Deus em meio a atividades entediantes.

Estávamos no sábado antes do Memorial Day, feriado nacional em memória dos militares mortos em combate. Eu precisava levar meu carro para a inspeção de controle de emissão de poluentes. Havia deixado isso quase para o último minuto, pois o centro de inspeção fechava no domingo e na segunda-feira. Na manhã de sábado, às nove horas, segui para lá, achando que teria muito tempo para fazer o teste. Cerca de dois quilômetros depois, um congestionamento na estrada. Isso era estranho, considerando que era uma manhã de sábado em um bairro distante do centro. Depois de uns quinze minutos, consegui virar em uma esquina e ter uma visão melhor. Aquela fileira de carros estava rumando na mesma direção que eu. Uma olhada no GPS mostrou uma longa linha vermelha em todo o restante do caminho. O trânsito se estendia até o centro de inspeção, por quase dois quilômetros. Caí fora.

Decidi que iria acordar cedo na manhã de terça-feira — meu último dia para fazer a inspeção — e entrar na fila antes que o centro de inspeção abrisse. Ia me atrasar para o trabalho, mas com certeza seria uma opção melhor do que aquilo.

Passei o fim de semana com certa apreensão sobre o que me esperava na terça-feira e quanto trabalho eu precisaria compensar depois. Mas, acima de tudo, é claro, estava me repreendendo por não ter feito aquilo antes.

Eis algumas das atividades que costumo deixar para a última hora.

Não quero

- telefonar ao dentista para marcar uma consulta
- pagar as contas
- fazer meu relatório de despesas no trabalho
- trocar o óleo do carro
- preencher os documentos do auxílio federal estudantil

São algumas das tarefas mais triviais da vida que me exaurem. É claro que sei, até certo ponto, que há um privilégio por trás de cada uma dessas tarefas — que disponho de atendimento médico, que tenho um emprego, um carro, um filho na faculdade e assim por diante. Posso conversar comigo mesma sobre privilégio. Mas preciso fazer isso de uma maneira que não desperte sentimento de culpa.

> "Tempo gasto evitando as tarefas da pós-graduação e ficando tensa com isso: 24 horas por dia durante 14 dias. Tempo gasto fazendo as tarefas: 2 horas."
>
> Lori Neff, no Facebook

AS QUESTÕES DE RELACIONAMENTO

No entanto há mais tarefas que não quero cumprir. Algumas delas tornam a questão mais séria, porque me conduzem a conflitos de relacionamento, transparência e vulnerabilidade.

PRÁTICA: TRANSFORME ISSO EM GRATIDÃO

Adoro lavar pratos. Fotografia de uma escultura no Museu de Arte de Palm Springs com elementos de colagem acrescentados

Minha amiga Jacci Turner compartilhou uma prática que aprendeu de sua diretora espiritual. A ideia era "parar de ruminar sobre problemas estando plenamente presente e grata pelo que estou fazendo". Quando lavava pratos, Jacci dizia a si mesma: "Obrigada por esses pratos que tenho para lavar, porque posso alimentar minha família". Ela achava que isso ajudava quando estava no meio de um ciclo de pensamentos negativos.

Essa é uma maneira eficaz de transformar lentamente esses estados mentais negativos, talvez especialmente as atividades que levam àquela conversa interna: "Por que estou presa aqui fazendo esse serviço?".

Não quero

- responder ao *e-mail* que me pede para realizar só mais uma tarefa
- dizer a meu colega quão angustiada estou
- explicar a uma amiga por que meus sentimentos estão feridos
- me desculpar por ser impaciente

Por que essas coisas em particular me aborrecem? Será que é porque deixei que meus limites pessoais ou profissionais fossem violados? Será que simplesmente prefiro evitar o conflito? Será que estou preocupada que meus sentimentos sejam exagerados? Será que estou constrangida?

No romance *Barefoot* [Descalça], Sharon Garlough Brown narra uma conversa de um casal, apresentando a ideia de que talvez haja algo mais nas tarefas que nos aborrecem — especialmente quando passamos do plano rotineiro ao relacional.

John pergunta a Charissa sobre um conselho que ela recebeu de um de seus professores:

— O que você disse que aprendeu com o dr. Allen sobre prestar atenção a tudo o que a incomoda?

Charissa relembra:

— Aprender a ponderar sobre o que nos perturba.[1]

Isso leva John a compartilhar o desconforto quanto a seu relacionamento com o pastor deles — que antes fora pastor de Charissa, desde a infância dela até aquele momento. John se sentira como um intruso no relacionamento e na igreja. É um assunto difícil para ele levantar, sabendo da profunda ligação entre ela e a família dela com o pastor e a igreja. Todavia, falar sobre o assunto cria espaço para uma maior abertura e confiança em seu casamento.

PRÁTICA: PONDERAR SOBRE O QUE O PERTURBA

O que há por trás das tarefas que o incomodam? Há um padrão comum entre elas?

Dê uma olhada em sua lista do que o incomoda.

Pergunte a Deus o que você pode aprender a partir dos pensamentos que o perturbam. Qual é seu papel nessas situações? Algo que descobri registrando o que me incomoda foi que, quando todos ao meu redor parecem estar errados — provavelmente o problema é comigo!

Lembre-se de falar com gentileza consigo mesmo sobre o que descobrir.

Esse romance fornece um modelo útil para fazermos uma pausa diante das tarefas que nos incomodam e considerá-las com um pouco mais de cuidado.

MOMENTOS AO LONGO DO DIA

Uma de minhas conversas mais comuns na direção espiritual com Marilyn começava comigo dizendo algo como: "Seria fácil para mim ser mais ancorada espiritualmente se eu pudesse ter controle sobre minha agenda todos os dias. Olho para as pessoas que conheço que têm filhos já adultos ou que não trabalham em um escritório. Claro que elas trabalham duro, mas também conseguem programar um dia de retiro".

A resposta de Marilyn foi que, em vez de me concentrar nos grandes períodos de descanso — como um retiro —, eu poderia criar pequenos hábitos diários que me lembrassem de me conectar com Deus.

Graças à determinação de meu marido, conseguimos estabelecer um padrão em que cada um de nós coloca os pratos que usa na máquina de lavar louças. Mas ninguém limpa a pia. Entro em casa e encontro restos de comida lá. Isso me irrita. Então Marilyn me encorajou a transformar os períodos em que estou limpando a pia em momentos para orar especificamente por minha família.

Jardinagem é uma tarefa que acho divertida durante cerca de vinte minutos. Depois me entedio. Para torná-la menos exaustiva, escuto *podcasts*, frequentemente de temas espirituais. Isso me impede de entrar em um ciclo mental de tédio e irritação. Em vez disso, sinto-me ocupada e aprendo. Talvez até tenha algo interessante a dizer sobre o *podcast* quando entro em casa novamente.

PRÁTICA: DEUS NO COTIDIANO

Considere tudo o que o incomoda com frequência — talvez tarefas que façam parte de sua rotina. Existe alguma que você possa transformar em um momento de oração ou gratidão, ou a que você possa acrescentar um elemento de diversão escutando música ou um *podcast*?

11

DUVIDANDO DE MIM MESMO

A sabedoria do Eneagrama

1. O que está incomodando você? Estou me questionando sobre a decisão de me mudar.
2. O que lhe deu alegria? O Eneagrama me abre uma janela para entender melhor por que faço o que faço.

Dan e eu compramos uma casa vitoriana de 1897 e fizemos nossa cerimônia de casamento lá. Nossos três filhos foram as damas de honra e o pajem, e nossos amigos e familiares se reuniram sentados em cadeiras dobráveis. Então nos mudamos para lá.

A localização da casa era ótima — dava para ir a pé até o centro da cidade e ficava a poucos passos de um trem de passageiros a vinte minutos do Loop, o principal distrito comercial de Chicago. Fizemos várias reformas nela nos treze anos seguintes, começando com a mudança da tinta cor-de-rosa clara do exterior para um tom gengibre vívido, e terminando com um banheiro novinho em folha, da melhor qualidade, no andar superior. Nós nos orgulhávamos muito da casa, mas ela nos cansava. Quando Spencer, o filho mais novo, foi para a faculdade, sentimo-nos prontos para algo mais novo, que exigisse um pouco menos de trabalho. E eu ansiava por um pouco mais de beleza natural nas vizinhanças — um pouco mais longe do Starbucks, cujos copos às vezes eram abandonados nas laterais de nosso jardim pelos transeuntes. Então colocamos a casa à venda.

Eu estava tão segura a respeito da venda que convenci Dan que devíamos nos adiantar e comprar uma casa antes de vendermos a atual. Poderíamos aguentar dois meses de espera. O mercado estava mais sólido do que nunca desde a recessão. Assim, enquanto colocávamos a casa à venda, demos entrada na casa nova.

Talvez você já tenha adivinhado o que aconteceu: nossa velha e adorável casa vitoriana não vendeu. Muitos compradores em potencial exigiam uma suíte master. Outros queriam um porão completo, com sistema de aquecimento e eletricidade. Um achou que nossos fiéis radiadores de ferro fundido pareciam perigosos. E assim por diante. Éramos agora proprietários de duas casas por um mês, dois meses e, como o verão estava chegando ao final, começamos a recear havermos perdido a temporada propícia à venda.

Justamente quando nos encontrávamos em meio a essa situação, a função de meu marido no trabalho começou a mudar diversas vezes de modo surpreendente — e tudo isso estava ocorrendo enquanto pagávamos a faculdade para dois filhos.

A vida estava saindo do controle. E eu estava pensando duas, três, quatro vezes a respeito de minhas escolhas! Sabia que havia provocado aquela sequência de acontecimentos devido ao desejo de um novo lar e um vago sentimento interior de chamado. Agora estávamos em uma situação financeira precária. Fui assaltada pela culpa e a dúvida de mim mesma.

Como poderia me perdoar?

APRENDENDO COM O ENEAGRAMA

A abordagem da autocompreensão pelo Eneagrama tem sido de imensa ajuda para mim, oferecendo-me um pouco de apoio quando algo está me incomodando. Saber qual é meu tipo ou número no Eneagrama me ajuda a entender o que me derruba. Revela como sou quando me aproximo mais de meu verdadeiro eu, colocando em ação os atributos mais positivos de meu número. Revela também como sou quando estou vivendo como meu falso eu, isto é, com traços exagerados dos aspectos mais negativos de meu número ou do número com o qual ele se relaciona (ver as setas no diagrama abaixo).

Como sou tipo Quatro no Eneagrama, frequentemente chamado de "O Romântico", anseio pela beleza. Isso pode conduzir a coisas boas — como reparar em pequenas dádivas de Deus ao longo do dia ou tornar os espaços que habito mais atraentes. Mas ser um Quatro significa que também posso me transportar a um lugar de insatisfação, inquietação e inveja. "A grama sempre é mais verde do outro lado" é um truísmo para um Quatro. Esses aspectos negativos podem muito bem ter me levado a tentar forçar uma mudança quando não era necessária e quando era financeiramente arriscado.

PRÁTICA: SAIBA SEU NÚMERO DO ENEAGRAMA

Os parágrafos acima pareciam de uma língua estrangeira? Você já dedicou um tempo a aprender sobre o Eneagrama e descobrir qual é seu número nele? Se não, escolha um livro que o ajude a conhecer seu número. *Uma jornada de autodescoberta*, um livro que editei (sinceridade total!), é um de meus favoritos.[1] Para algumas pessoas, encontrar seu número é rápido e intuitivo; para outras, talvez leve algum tempo. Mas é um exercício espiritual extremamente frutífero.

Aprendi sobre o Eneagrama com Alice Fryling. Em um de meus primeiros encontros com Dan, mostrei-lhe o caderno que recebera na primeira aula dela, e conversamos sobre como o Eneagrama reflete tanto nossos melhores quanto piores traços. Especulamos juntos sobre quais seriam nossos números. Isso criou um contexto favorável para termos algumas conversas profundas sobre quem somos.

Mais recentemente, assisti a vários cursos com Suzanne Stabile, além de ter uma oportunidade de trabalhar em uma série de livros sobre o Eneagrama com Suzanne, Ian Cron, Alice e outros. O que escrevo aqui se baseia, em grande parte, em seu ensinamento. Inicio as sequências de reflexão com o número Oito, seguindo o padrão de organização por tríades descrito em *Uma jornada de autodescoberta*.

Agradeço a meus amigos de Facebook que forneceram algumas das ideias que se seguem aqui sobre o que os incomoda e o que lhes dá felicidade. Isso, é claro, é uma lista radicalmente simplificada. Sem dúvida a maioria dessas coisas pode incomodar qualquer um de nós em algum momento ou outro!

As imagens e ideias aqui não visam enquadrar ninguém em um molde. Aliás, algumas das coisas que nos incomodam se relacionam às formas como nos sentimos estereotipados por nosso número. A meta aqui é ver como o Eneagrama pode nos ajudar a identificar e entender o que nos frustra. À medida que ler os comentários dos amigos que me deram informações, você pode pensar em sua própria família e amigos. O Eneagrama nos ajuda a sermos gentis uns com os outros, assim como com nós mesmos, por meio de uma compreensão aprofundada de como vemos o mundo diferentemente uns dos outros.

O ENEAGRAMA E O QUE NOS INCOMODA[2]

8 O Contestador: Injustiça. Quem é tipo Oito reage rápida e intensamente quando vê gente poderosa maltratar aqueles que são mais fracos. Pode também se sentir incomodado pela reputação de durão. Vicki comenta: "Eu me sinto frustrada quando as pessoas supõem que serei rude ou arrogante em vez de paciente e atenciosa".

9 O Pacificador: Bagunça. Quem é tipo Nove frequentemente gosta de um espaço físico bem-arrumado. Pode se sentir frustrado quando os outros decidem ficar zangados. Sente-se pressionado a tomar uma decisão em nome de um grupo. Stephanie diz: "Como uma Nove, muito me incomoda quando as pessoas me dizem que posso escolher algo, como onde ir comer, e então, quando respondo decisivamente e estou me sentindo bem orgulhosa e poderosa por isso, elas mudam para outra coisa pensando que não vou me importar. Gosto de verdade de seguir com a maré, porque geralmente não me importo, mas, quando me dão o poder de tomar a decisão, não quero renunciar a esse poder!".

1 O Perfeccionista: Erros. Pessoas que não seguem as regras incomodam quem é tipo Um. Assim como regras que são descartadas ou que não se mostram verdadeiras. E ser aconselhado a se acalmar. Mas o que mais incomoda o Um são suas próprias falhas. Lisa afirma: "Como meu número é o Um, as pessoas presumem que as estou julgando. Mas, na verdade, julgo a mim mesma com mais rigor do que a qualquer outro. Não espero perfeição dos outros, mas a quero para mim mesma".

2 O Auxiliador: Sentir-se negligenciado. Quem é tipo Dois se magoa quando acredita que os amigos e familiares não o estão colocando em primeiro lugar. Sentir que as pessoas não gostam dele também o magoa. Assim como sentir que seu valor não é reconhecido. Jacci escreve: "Agora que tenho consciência do lado obscuro do Dois, incomoda-me vê-lo em outros [...], como ajudar quando ninguém pediu ou ser controlador".

3 O Realizador: Deixar de resolver os problemas. Pessoas e processos que os impedem de avançar frustram as pessoas tipo Três. Elas anseiam por independência. Robert enumera algumas das coisas que o incomodam: "Perguntas sobre um processo depois que eu o expliquei detalhadamente. Falta de orientação clara ou esforço que acaba sendo desperdiçado devido a mau planejamento. Complicações desnecessárias".

4 O Romântico: Ser incompreendido. Sentir que os outros acham que somos difíceis de lidar é comum para quem é tipo Quatro, o que os leva à vergonha. Eventos ou lugares que não estão à altura das expectativas. O Quatro quer que os outros saibam do que ele precisa sem ter de pedir. Jason diz: "Incomoda-me quando as pessoas dizem 'anime-se' quando estou me sentindo melancólico".

5 O Investigador: Falta de espaço pessoal. Ser solicitado a realizar tarefas demais para os outros. Conversas triviais. Quem é tipo Cinco fica frustrado com pessoas que agem como especialistas, mas não são. Suzy descreveu um incidente desse tipo: "Não faz muito tempo, alguém estava lecionando em uma oficina de um gênero literário específico, e não apenas ele não tinha nenhum livro publicado como nunca havia terminado um livro desse gênero. Havia apenas lido um manual sobre o assunto. Isso me deixou perplexa!".

6 O Leal: Preocupações com a segurança. Quem é tipo Seis luta contra o sentimento de que vai desapontar os outros. Elaina diz que as pessoas que têm uma fé cega ou uma atitude do tipo "Poliana" a aborrecem. Ao mesmo tempo, as pessoas que se recusam a pensar com antecipação sobre o futuro a incomodam. Holly ressalta que, embora saiba que tende à preocupação, "detesto ser chamada de 'pessimista crônica' ou 'pilha de nervos'. Para mim, só estou sendo prática e realista".

7 O Entusiasta: Expectativas e exigências. Tarefas demais a cumprir e tempo insuficiente para relaxar. Ser percebido como superficial. Jessica observa: "Sendo uma Sete, me incomoda quando as pessoas matam inadvertidamente meus sonhos/demolem minhas ideias fazendo muitas perguntas sobre 'como fazer'. Provavelmente não vou levar em frente a maioria das ideias que compartilho, mas gostaria que as pessoas sonhassem comigo por um minuto".

Quando estamos no lado saudável de nosso número do Eneagrama, vivendo em nosso verdadeiro eu como Deus nos criou, é mais fácil entrar em contato com o que nos traz alegria profunda e duradoura — não os consolos passageiros que buscamos quando estamos no lado mais obscuro de nosso número. Aprender sobre o Eneagrama pode nos ajudar a nos concentrar no que nos traz alegria.

O ENEAGRAMA E O QUE LHE DÁ ALEGRIA

8 O Contestador: Fazer a coisa certa. Ajudar alguém que mereça. Vicki fica alegre quando os outros "se sentem seguros e à vontade comigo". Afirma: "As pessoas tipo Oito podem ser gentis e acessíveis!".

9 O Pacificador: Natureza. Sentir-se em paz com tudo e todos. Stephanie declara: "Amo ioga e outros tipos de meditação, e o jeito como elas me acalmam e me tornam centrada. Principalmente se posso praticar enquanto desfruto da natureza".

1 O Perfeccionista: Ordem. Uma casa limpa, um escritório organizado. Aprender a preparar um novo prato passo a passo e tendo todos os ingredientes à mão. Michaela menciona que adora viajar com outras pessoas a lugares como a

Disneylândia com uma agenda pré-combinada. Um itinerário torna tudo mais divertido para o Um.

2 O Auxiliador: Presença. As pessoas tipo Dois ficam felizes quando aqueles a quem amam lhes dão atenção. Querem também ser reconhecidas e estimadas pelo que fazem pelos outros. Cynthia diz que adora quando os filhos adultos aparecem para o jantar.

3 O Realizador: Ser notado. Conseguir fazer algo importante e receber reconhecimento pelo bom trabalho é importante para um Três. Joaquim ficou satisfeito por ter conseguido cobrir e proteger os jacintos em seu quintal quando caiu uma neve tardia.

4 O Romântico: A beleza. Notar sentimentos. Espaço para o trabalho criativo. Tempo para reflexão. As pessoas tipo Quatro adoram aprender coisas novas sobre si mesmas e ganhar novas percepções sobre sua conexão com Deus. Em contraste com Joaquim, que mencionamos acima, Paulette comenta sobre uma neve inesperada na primavera: "Posso passar horas olhando para o cenário, apreciando o peso da neve sobre uma flor delicada".

5 O Investigador: Solidão. Um pouco de tempo para ler e pensar. Quem é tipo Cinco adora aprender algo novo — só por diversão. Rachel declara: "Gosto muito de ficar sozinha em casa, porque aí meu cérebro não precisa dedicar nenhuma atenção a outra pessoa ou outras pessoas. Nenhuma possibilidade de intrusão. De certa forma me sinto muito mais livre para pensar e ser".

6 O Leal: Relaxar. Sentir-se seguro e confiante. Relacionamentos de longo prazo seguros e de confiança. Alisse diz que adora "planos que dão certo e se realizam perfeitamente".

7 O Entusiasta: Aventuras. Uma oportunidade de experimentar uma nova atividade ou de comer em um novo restaurante. Viagem e passeios turísticos. As pessoas tipo Sete sabem como brincar! Michelle resume: "Qualquer aventura me traz alegria. Quanto mais louca, melhor. Acho que viagens internacionais provavelmente são A Melhor Coisa Que Existe".

> "Vocês não devem desejar outra vida. Não devem desejar ser outra pessoa. O que devem fazer é: 'Estejam sempre alegres. Nunca deixem de orar. Sejam gratos em todas as circunstâncias'. Não sou plenamente capaz de fazer isso, mas essas são as instruções corretas."
>
> Wendell Berry

E O QUE ACONTECEU COM A CASA?

Em uma sessão de direção espiritual com Marilyn, especulei sobre o que eu poderia e deveria aprender com a sequência de acontecimentos relativos à casa.

PRÁTICA: A VERDADE DO ENEAGRAMA

Se você sabe seu número, dê uma olhada novamente nas listas que fez ao longo das últimas semanas. Como aquilo que você registrou se relaciona com o que sabe sobre os aspectos saudáveis e obscuros de seu número?

Como você poderia ser mais gentil consigo mesmo à luz do que tem observado?

Em que você necessita de cura ou de práticas para escapar do lado obscuro?

Como poderia abrir espaço para mais elementos que lhe trazem alegria?

Depois de cinco meses à venda, chegamos à conclusão de que a falta de uma suíte master era a principal razão pela qual não estávamos recebendo ofertas. Nosso genial novo corretor, Carl, nos ajudou a descobrir como criar uma suíte master transformando um quarto de dormir pequeno em banheiro e remanejando algumas paredes para compor um dormitório maior. E nosso rápido e engenhoso empreiteiro, Vinnie, completou o projeto em questão de semanas. Então alugamos a casa pelo Airbnb enquanto continuávamos anunciando a venda, o que nos ajudou a pagar as contas. Conseguimos vender a casa em janeiro, nove meses depois de a colocarmos à venda.

Sabemos que houve muitas bênçãos em tudo o que aconteceu — inclusive a temporada em que vendemos a casa. Recebemos a oferta um dia antes do Dia de Ação de Graças, que não é uma época em que as pessoas costumam querer se mudar. Apesar disso, muitas vezes ainda me via esfregando as mãos em preocupação por tudo aquilo.

Eu tinha uma noção de que havia algo que poderíamos fazer na casa nova — algum modo pelo qual Deus poderia usá-la para servir aos outros. Não tinha clareza, contudo, sobre o que fazer. Será que eu havia errado em me mudar? Será que, em vez de ter insistido em comprar aquela casa em particular, não deveria ter esperado para que não tivéssemos a ansiedade da hipoteca dupla? A dúvida ainda me atormentava.

Estávamos sentados à mesa da cozinha na casa nova. Geralmente nos encontramos em um pequeno restaurante local ou na casa de Marilyn, mas naquele dia ambas havíamos achado melhor marcar em minha casa. Foi a primeira vez que mostrei a casa a Marilyn.

A cozinha é um de meus lugares prediletos — é aberta e dá para uma área arborizada. Há alimentadores de pássaros bastante frequentados do lado de fora da janela panorâmica.

Marilyn me lembrou, como fazia com frequência, de que Deus nos dá espaço para fazer nossas próprias escolhas. Não se trata de escolha certa ou errada. A chave é oferecer tudo o que temos a Deus e ver o que Deus quer fazer com isso. A sugestão dela, como sempre, apontava o caminho rumo ao aprofundamento da autogentileza.

Então o gato deu um gemido horrível. Nosso velho gato de dezessete anos havia adquirido o hábito de andar sem rumo pelos vários cômodos e gemer.

— Veja como o gato está infeliz. Ele nunca fez isso antes. Estraguei a vida dele — comentei.

Marilyn replicou:

— Talvez ele tivesse começado a fazer isso acontecesse o que acontecesse.

12

NÃO TENHO TEMPO SUFICIENTE PARA O QUE QUERO FAZER

Encontrando tempo para o que nos nutre

1. O que está incomodando você? Perder tempo assistindo a programas ruins na TV.
2. O que lhe deu alegria? Dedicar mais tempo à leitura.

À medida que tomei mais consciência do que me traz alegria, descobri que alguns anseios dentro de mim vinham à tona. Por exemplo: gostaria de ter mais tempo para a jardinagem ou para almoçar com um amigo ou passear num jardim botânico.

Quando perguntei a alguns amigos o que mais os incomodava no dia a dia, meu amigo e editor aposentado, Dan, respondeu: "A pilha de livros que não estou conseguindo ler". Para aqueles de nós que achavam que iriam ler todos aqueles livros depois que se aposentassem, creio que isso seja um alerta.

Eu também tenho uma pilha de livros na mesinha de cabeceira e outra na escrivaninha, e mais alguns no chão junto à minha cadeira de leitura e outros ainda sobre a mesa ao lado do sofá. Gostaria de ter mais tempo para ler.

Recentemente deparei com um artigo na revista *Flow* sobre retiros de leitura.[1] Um retiro de leitura é um fim de semana em um alojamento com pernoite e café da manhã em que pessoas que não se conhecem se reúnem para ler livros. A anfitriã,

Cécile Wilbers, é uma "*coach* de literatura". (Por que não ouvi falar sobre esse trabalho na época de minha orientação vocacional?) Ela oferece sessões individuais em que fornece recomendações de futuras leituras. Os participantes conversam no jantar sobre seus livros prediletos e o que estão lendo. Mas, acima de tudo, é um fim de semana longe das responsabilidades, dedicado apenas à leitura.

A escritora e *podcaster* Erin Straza cria seu próprio retiro anual na praia: leva consigo uma pilha de livros e passa boa parte do dia lendo-os.[2] Acrescenta também uma hora de prática de oração contemplativa.

Ambas essas abordagens parecem maravilhosas. É interessante também que tantos de nós estejam achando tão difícil fazer o que queremos, a ponto de termos de programar um tempo afastados para conseguir ler um livro. Como podemos arranjar mais tempo para ler durante uma semana normal?

POR QUE ESTAMOS VENDO TV?

Neste exato instante estou sofrendo de uma ressaca de *Maravilhosa Sra. Maisel*. Eu adorei a série: a trama, os ótimos atores, as reviravoltas surpreendentes e o figurino! Assistir a essa série com meu marido deu alegria a nós dois. Mas agora estou em dúvida quanto ao que ver a seguir. Assim, passei vinte ou trinta minutos tentando decidir o que ver na TV. Por que estou tão desesperada por encontrar algo para assistir quando tenho, em quase todos os cômodos da casa, uma pilha de livros que realmente gostaria de ler?

Por que estou desperdiçando minhas noites com a TV? É uma pergunta que me lembro de ter feito a Marilyn na direção espiritual certa vez. Ela me pediu que calculasse o tempo que despendia em cada atividade. E, vejam só, percebi que, quando terminava de trabalhar, preparar o jantar, cuidar dos filhos e realizar outras tarefas, restavam apenas uma ou duas horas. E eu estava cansada. Então ela me encorajou a ter compaixão de mim mesma nesse aspecto. Algumas noites assistindo a um programa agradável é uma dádiva e um modo de descansar.

Meus limites em relação a assistir à TV são diferentes daqueles de outros membros de minha família. Não gosto de violência. Não gosto de nenhum tipo de tortura. Sou atraída por alguns *reality shows*, mas sei que assistir a eles não me traz verdadeiramente alegria ou alívio. É algo mais voltado ao entorpecimento, e também à contemplação do caos "feito para a TV" de outras pessoas. Assim, está ficando mais frequente nos últimos tempos que Dan e eu concordemos em desligar a TV e ler um pouco.

Quando Spencer estava com cerca de cinco anos, tivemos uma conversa interessante sobre a prática da leitura. Ele tinha certas opiniões sobre como as pessoas deveriam organizar sua leitura:

— Você precisa de um livro para ler no café da manhã. Depois você precisa de um livro na mochila para ler na escola. E você precisa de outro livro para a hora de dormir. Então você vai ler pelo menos três livros.

Gosto de ter vários livros para escolher em minha leitura matinal, preferencialmente livros com capítulos ou seções curtas. Leio um pouco de um ou dois deles. Em seguida permaneço sentada por algum tempo. Ou escrevo um pouco no diário. Iniciei essa prática quando Spencer era pequeno. Ia me sentar à janela do meu quarto, que dá para a parada do ônibus na esquina. Eu o via entrar no ônibus. Em seguida desfrutava de alguns momentos de solidão antes de rumar para o trabalho, grata por não ter de entrar na fila de carros de pais deixando as crianças na escola. Era um ótimo momento para um pouco de leitura vagarosa me abastecer para o dia.

PRÁTICA: LEIA UM POUCO

Quando você vai arranjar para si mesmo um pouco de tempo de leitura? Se adotar a prática regular de se sentar para ler um livro durante dez ou quinze minutos, isso começará a se tornar rotineiro. E seu cérebro engatará rapidamente e absorverá o texto. Talvez você queira seguir a lógica do meu filho e deixar livros em lugares específicos, para que estejam disponíveis a você na rotina diária.

LER COMO UMA PRÁTICA ESPIRITUAL

Quando li *Uma dobra no tempo*, de Madeleine L'Engle, na quarta série, lembro-me de que algo se agitou dentro de mim. Senti que havia uma importante mensagem de Deus naquele livro. Eu estava encontrando o poder de uma narrativa para revelar a verdade espiritual.

Na adolescência, lembro-me de me sentir desafiada a agir com coragem quando li *O refúgio secreto*, de Corrie ten Boom. Ler *Eu sei por que o pássaro canta na gaiola*, de Maya Angelou, foi, em parte, o que me levou a me interessar pela Universidade Wake Forest, onde acabei fazendo um curso com ela. No meu primeiro ano em Wake Forest, um curso chamado "Fé e Imaginação" me apresentou as obras de C. S. Lewis e J. R. R. Tolkien pela primeira vez. Elas se tornaram rapidamente minhas companheiras.

Quando caminho pela casa e passo os olhos pelas estantes de livros, consigo recriar uma vida de leitura, uma vida moldada e formada por livros.

Saboreando. Fiz esta colagem como um reflexo de meu amor pelas palavras e pela experiência de leitura e escrita, assim como da simples alegria de estar cercada de livros.

PRÁTICA: UMA LINHA DO TEMPO DA LEITURA FORMATIVA

Quando você pensa nas fontes de seu crescimento e conhecimento espiritual, que livros lhe vêm à mente? Reserve algum tempo para fazer uma lista de alguns dos livros mais importantes de sua vida — aqueles que o formaram e permaneceram com você. Você pode tentar fazer uma linha do tempo ao longo de sua vida e buscar os livros-chave em épocas diferentes. Quais são as qualidades dos livros e autores que são mais importantes para você? O que você vê acontecendo em seu próprio desenvolvimento espiritual ao olhar essa lista?

Richard Foster é um grande defensor da ideia de apresentar os grandes clássicos espirituais a todos. O Renovaré, ministério que ele fundou, abriga um grupo de leitura na internet que permite que pessoas de todo o mundo se conectem e leiam juntas. Na introdução ao livro *Clássicos devocionais*, que organizou junto com James Bryan Smith, ele cita Jean-Pierre de Caussade: "Leia em silêncio, devagar, palavra por palavra para entrar no assunto mais com o coração do que com a mente [...]. De vez em quando faça breves pausas para permitir a essas verdades o tempo de fluir por todos os recessos da alma".[3]

O convite para ler devagar é uma mensagem de que necessitamos agora mais do que nunca. E, no entanto, foi no século 18 que Caussade escreveu sobre a necessidade de manter a leitura lenta, no clássico *O sacramento do momento presente*: "Quando descobrir que a mente vagueia, retome a leitura e continue assim, renovando frequentemente essas mesmas pausas".[4]

Ler para a formação espiritual não é uma questão do número de páginas que se lê. É uma questão do que absorvemos. É uma questão de nos conectarmos com Deus por meio do escritor e encontrar um momento profundo de discernimento, afirmação ou renovação.

SABOREANDO AS REFEIÇÕES

Estou lendo *A Year in the Village of Eternity* [Um ano na aldeia da eternidade], de Tracey Lawson. É um relato de uma cidade em que as tradições de cultivar, colher e comer alimentos frescos são preservadas ao estilo de muitas gerações atrás. E os resultados de longevidade, felicidade e saúde são notáveis. Fui fisgada por esta passagem sobre o preparo de massas:

> Antigamente, este era o único jeito. Misturar os ovos frescos da galinha com farinha fina a mão; socar e socar até que os dois ingredientes se tornem um; depois enrolar e enrolar até que a folha amarela fique tão fina que o sol a atravessa se você a ergue e a vira em direção ao sol da aurora.
>
> Observando Natalina preparar a massa de ovos frescos, é incrível pensar que outrora esse ritual era executado em todas as cozinhas daqui, quase todo dia. Uma vez para o almoço, talvez novamente para o jantar, em uma fria noite de inverno.[5]

Fiquei tão inspirada que saí e comprei uma farinha italiana especial na loja de materiais de cozinha Williams Sonoma e, certo domingo, fiz massa a partir do zero. Tive o tempo de preparar devagar e metodicamente. E ficou muito boa. Foi uma perfeita experiência de dia de descanso — cozinhar inspirada pela leitura.

Outro aspecto de saborear a comida é refletir sobre como fazemos as refeições. Em muitos centros de retiro, as refeições são feitas em silêncio, para que os participantes possam permanecer concentrados no que estão vivenciando com Deus. Essas refeições geralmente são servidas em um espaço em que há uma boa janela para se olhar para fora. Considero uma experiência de companheirismo estar com outros na presença de Deus. Para mim, é também uma oportunidade de reparar no que estou comendo — e em como estou comendo. Tendo a engolir de uma só vez, mas em um ambiente descansado me lembro de ir devagar. Quando como devagar, noto os sabores mais intensamente. As primeiras mordidas proporcionam o sabor mais forte ao paladar. E quando como devagar, noto mais rapidamente quando estou satisfeita.

PRÁTICA: COMER DEVAGAR

Tente comer devagar e em silêncio — a sós ou com outros — como forma de ganhar consciência do que está absorvendo. E como forma de manifestar gratidão pelo alimento que recebe, seja uma refeição simples, seja uma requintada.

UM DESVIO DE VINTE MINUTOS

O capítulo 1 explorou a ideia de que o tempo passado fora de casa é restaurador. Considerando que vivo em um bairro distante do centro e dirijo de uma garagem até um estacionamento, é importante para mim sair de casa.

As crianças muitas vezes nos encorajam e motivam a sair. Quando meu filho era criança, passeios até o parque com ele, quando eu deixava meu celular de lado, tornavam-se momentos para brincar, orar ou refletir.

Recentemente, dei a mim mesma como presente de aniversário a associação ao jardim botânico local. Assim posso levar convidados com desconto e apoiar um espaço na cidade onde é possível desfrutar da natureza e onde os animais encontram um *habitat* seguro. Quando o tempo está agradável — ou mesmo satisfatório —, tento sair do escritório mais cedo para dar uma volta ao redor do lago lá.

> "De certa forma ninguém vê realmente uma flor. Não temos tempo. E ver requer tempo."
>
> GEORGIA O'KEEFFE

Outra forma que encontrei de arranjar um pouco de tempo para sair é descobrir pontos de parada em parques ou trilhas para caminhada no trajeto de casa para o trabalho ou vice--versa. Paro o carro e faço uma caminhada de vinte minutos. Procuro por novas rotas que me possibilitem descobrir uma trilha agradável para caminhar.

É um desvio de apenas vinte minutos. E me dá alegria.

PRÁTICA: O QUE VOCÊ GOSTARIA DE FAZER?

O que você gostaria de fazer? Considere as atividades musicais: quando foi a última vez que cantou em um coro? É uma ótima forma de reorientar o cérebro afastando-o do que o está incomodando. E quanto a oportunidades de sair com mais frequência? Ou de contemplar ou criar arte? Você não poderia fazer um curso em alguma faculdade? Ou quem sabe um curso de culinária? É estimulante aprender algo novo.

Volte à lista de alegrias. Existem passatempos ou atividades que lhe trazem alegria e aos quais gostaria de dedicar mais tempo? Que mudanças poderia fazer para arranjar mais tempo para eles? O que poderia deixar de fazer? Tente resistir a simplesmente dizer "Isso é impossível". Pense no que você diria a um amigo que lhe contou de algo que adoraria fazer, mas não consegue encontrar tempo para isso. Se nada lhe vier à cabeça, peça a Deus que lhe mostre um caminho. Conversar com o cônjuge ou um amigo que conhece sua agenda também pode ajudar.

EPÍLOGO

O que lhe dá alegria?

Entremeada a estas páginas está a história de minha experiência de direção espiritual com Marilyn Stewart durante um período de dezessete anos. Direção espiritual é uma experiência de companheirismo em que uma pessoa se coloca ao lado de outra para que possam escutar juntas a voz de Deus. Ao longo de nosso tempo juntas, ela me ajudou a aprender a identificar os padrões de desolação e consolação em minha vida.

A dádiva de tê-la como diretora espiritual me ajudou a suportar os períodos de separação e divórcio, de cuidar sozinha de meu filho e depois de fundir duas famílias. Ela me orientou e me aconselhou em meu trabalho editorial enquanto eu trabalhava em livros de formação espiritual com muitos dos autores citados nestas páginas. Essas experiências forneceram a base para este livro.

> "Tu és o fogo que afasta o frio, ilumina a inteligência e me faz conhecer tua verdade."
>
> CATARINA DE SENA

Em meus momentos mais sombrios, Marilyn foi como uma mediadora me conectando com Deus.

Marilyn morreu no dia 1º de dezembro de 2018. O encontro em minha casa nova que descrevi no capítulo 11 acabou sendo a última vez que nos encontramos para uma sessão de direção espiritual. Sinto-me muito grata por poder me lembrar de quando estava sentada com ela à mesa da cozinha naquele dia. Ela teve um AVC em resultado de um câncer no cérebro apenas um mês depois.

PRÁTICA: ENCONTRAR UM DIRETOR ESPIRITUAL

Considere a possibilidade de procurar um diretor espiritual. Os encontros são uma vez por mês, e a maioria dos diretores oferece uma escala móvel de preços para que o serviço seja acessível a todos. Você pode encontrar diretores em centros de retiro e no *site* do Spiritual Directors International, em <sdiworld.org>, assim como por meio da Evangelical Spiritual Directors Association, em <graftedlife.org>. Você também pode encontrar um diretor por meio da sua igreja.

Escrevi este poema em homenagem a Marilyn e ao trabalho de direção espiritual sobre minha vida. Mas ele também homenageia o movimento do Espírito Santo em minha vida ao buscar me aproximar de Deus por meio de práticas espirituais.

A Dança da Direção Espiritual

Para Marilyn

Diretora
Mãe
Companheira
Guia

Quando eu estava perdida e confusa, Deus me deu Marilyn,
e ela me assegurou que o caminho seria revelado.
"O caminho é longo, mas a estrada é ampla."

Quando duvidei de meu próprio valor,
ela me indicou as Escrituras.
"Você é minha testemunha, o servo que escolhi."

Quando lhe fiz perguntas,
ela me lembrou de apresentá-las a Deus.
"Como você está orando sobre essas questões?"

Quando perguntei se Deus iria agir,
ela falou da bondade divina.
"Deus sempre encontrará uma forma de compensar."

Ela vibrava com meu progresso espiritual.
Desafiava minhas complacências.
Evocava meus talentos.
Saboreava as graças que Deus me concedia.
Apontava para o poder da Palavra e da liturgia.
Ela tornou meu mundo um pouco mais seguro.
Ajudou-me a me tornar meu verdadeiro eu.
Tomou-me pela mão e me conduziu à grande dança.

"Se eles estão com Cristo e Cristo está conosco, então eles não podem estar muito longe."
Pierre Teilhard de Chardin

Vigília Pascal

O CAMINHO DA ALEGRIA

As dádivas de Marilyn para mim não se encerraram após sua morte. Pouco mais de um ano depois, o marido de Marilyn, Doug, convidou alguns dos dirigidos por ela e amigos para escolherem alguns livros de sua biblioteca pessoal. Segurar esses livros e ler as passagens que ela havia sublinhado ou às quais acrescentara um pequeno "Amém" me fazia sentir como se estivesse sendo orientada por ela novamente. Um desses livros, *Dar atenção a Deus*, de William A. Barry, SJ, me ensinou como encontrar uma alegria duradoura.

Barry escreve sobre o conceito de união com Deus. Essa é uma fonte de alegria verdadeira, duradoura. E, no entanto, ele comenta que resistimos às próprias experiências que nos levam para mais perto de Deus. Ele observa um padrão comum em pessoas espiritualmente maduras, segundo o qual elas vivem uma experiência poderosa, comovente, de proximidade com Deus, mas se afastam disso depois de um período. Escreve: "Pode ser, quem sabe, que aquilo que desejamos mais profundamente seja aquilo que tememos mais profundamente? Tememos a perda do eu ao nos entregarmos a Deus" apesar de ser verdade que "quanto mais estamos unidos a Deus, mais somos nós mesmos".[1] A resposta dele para esse dilema? Apenas continue retornando a Deus e pedindo a ele ajuda para permanecer presente. Tomar nota do que o está incomodando e do que lhe deu alegria é uma forma de reparar em que você está e em que não está se conectando com Deus.

No início desta jornada, foi a questão de o que está me incomodando que achei mais estimulante. Eu precisava de permissão para revelar e nomear as preocupações e queixas que povoavam minha cabeça. Precisava identificar tudo — pessoas, acontecimentos, tarefas — que estavam me afastando de Deus. Isso continua sendo verdade em meu dia a dia.

Minha nova diretora espiritual, Jeanie Hoover, encorajou-me recentemente a usar parte do tempo em nossa sessão para me lamentar. Eu precisava usar aquele tempo para desvelar o espaço espiritual e emocional em que me encontrava naquele dia. Então — como havia prometido — ela me guiou para fora de meu poço de lamentações e de volta à oferta de Deus de estar presente comigo em tudo o que me incomodava. Se você quer realizar uma prática espiritual de quarenta minutos de lamentação para si mesmo, encorajo-o a experimentar — especialmente se tiver um amigo em quem confia ou um diretor espiritual como companhia para trazê-lo de volta desse espaço de lamentações.

A outra parte de minha jornada foi reparar que os convites gentis de Deus são o bom caminho que está sempre aberto para mim. Deus não oferece a nenhum de nós uma vida fácil, mas o amor de Deus nos sustenta a todos e mantém todas as coisas unidas. E sinais de graça estão por perto todos os dias.

Continuo anotando todos os dias o que me incomoda e o que me traz alegria. Quando ofereço a Deus o que está me incomodando e aceito a gentileza diária que Deus me oferece, encontro descanso.

É especialmente adequado que a fotografia de Marilyn no início deste capítulo seja uma imagem dela conduzindo a dança na Vigília Pascal. Naquela noite na igreja ela segurou minha mão e me levou para cantar e celebrar a ressurreição de Cristo.

A alegria está à espera. Quer se juntar à dança?

AGRADECIMENTOS

Trabalhei como editora de livros por muitos anos, mas nunca tive o objetivo de escrever um. Eu simplesmente não tinha certeza de que teria o bastante a dizer! Fiquei surpresa ao encontrar palavras suficientes para encher este pequeno livro. O fato de ter sido capaz de fazer isso é um tributo a tudo o que aprendi de meus pais e irmãos, meu marido e meus filhos.

Como editora, recebo tesouros dos autores com quem convivo e de quem aprendo enquanto eles me permitem lidar com suas palavras em estágios muito tenros de formação. Sou grata a cada autor com quem trabalhei em minha carreira. Algumas de suas palavras de sabedoria encontraram o caminho até estas páginas. Porém uma parte ainda maior de sua sabedoria influenciou e moldou minha vida espiritual.

Sou também grata ao meu grupo de amigas criativas — Cindy, Deb, Rebecca, Ruth e Sally —, que sempre acreditam em mim e foram uma caixa de ressonância ao longo do processo de escrita.

Dezoito anos atrás, tive o privilégio de trabalhar na primeira edição do excelente livro de Al Hsu, *Superando a dor do suicídio*, resultado de um tempo doloroso na vida dele. É uma grande dádiva que ele possa ter atuado como meu editor neste livro. Pude então desfrutar de suas esmeradas habilidades editoriais do lado autorial da mesa e beneficiar-me das ideias que ele trouxe ao projeto. Após 25 anos de trabalho juntos, ele é capaz de entender o que estou tentando expressar, assim como me mostrar os pontos em que preciso expandir e esclarecer para o leitor. Em consequência de suas sugestões, o livro se tornou melhor.

Como trabalho em uma editora, sei quantas mãos são necessárias para se fazer cada livro — e quão poucas delas a maioria dos autores conhece de nome. Sou grata aos colegas de todos os departamentos do prédio que contribuíram para este projeto. Jeff Crosby apoiou o livro desde o início. Lori Neff, que gerencia o *marketing* da série *Formatio* com a graça e gentileza de uma diretora espiritual, assumiu a tarefa hercúlea de distribuir o livro de uma colega. Ed Gilbreath me lembra sempre para não ser muito dura comigo mesma. Cindy Kiple criou a bela capa trabalhando em seu movimentado apartamento de aposentada no Mississippi. Allison Rieck agraciou-me com sua habitual revisão gentil e cuidadosa. Jeanna Wiggins criou um adorável *design* interno, dando vida às minhas visões! Gostaria também de agradecer à editora geral Elissa Schauer e ao diretor de produção Ben McCoy, que garantem que nossos livros sejam excelentes e atraentes. Eles tornam todo dia de trabalho melhor para o restante de nós. (Minhas desculpas a Elissa e Ben pela longa lista de nomes que se segue.)

Obrigada àqueles que responderam às minhas postagens no Facebook pedindo depoimentos sobre os temas do livro relacionados ao Eneagrama: Alisse, Ashley, Jennie, Elaina, Lesa, Jennifer, Helen, Victor, Anne, Tracey, Vicki, Suanne, Rachel, Lee, Marsha, Paulette, Jessica, Rebecca, Joaquim, Holly, Judi, Susi, Robert, Kim, Lisa, Ruth, Stephanie, Sally, Christy, Jason, Michaela, Jacci, Cynthia, Michelle e Melodie.

E àqueles que comentaram sobre o que os incomoda e como amenizar esses incômodos: Jennifer, Daniel, Valerie,

Christy, Lori, Andy, Joaquim, Deb, Debra, Claire, Kirk, Rebecca, Belinda, Matt, Jessica, Melodie, Anne, Carolyn, Suanne, Luci, Jo Ann, Kim, Dan, Christy, Shelly, Colleen, Christine, Marsha, Diane, Elizabeth, Katelyn, Bronwyn, Lee, Ava, Clare, Dorothy, Tim, Victor, Melissa, Carmen, Paula, Valeyo, Jacci, Mary, Elizabeth, Lisa, Sheila, Tish e Margaret.

Embora alguns aspectos de escrever um livro sejam bastante solitários, fico também impressionada como outros aspectos do processo são coletivos. Sinto-me grata por todas as formas com que amigos, colegas e familiares contribuíram para esta obra.

APÊNDICE

O processo artístico intuitivo

O que se segue é uma versão levemente condensada das diretrizes que Sheri Abel escreveu para uma experiência de grupo de duas horas.[1]

O modo mais adequado de se iniciar consiste em usar os seguintes materiais:

- folhas de papel pardo grandes e montadas em cavaletes
- tintas acrílicas
- pincéis, esponjas e ferramentas diversas
- *cray-pas* (pastel a óleo)

Guarde silêncio durante todo o processo.

---

1. Limpar a mente / despejo cerebral. 5-7min. Para ajudá-lo a engrenar, escreva em seu diário os pensamentos e sentimentos que estão falando mais alto no momento.

---

2. Intenção. 5min. Escreva uma intenção para sua criação artística. Intenções são escritas no tempo presente; são concretas e afirmativas.

Pergunte-se:

- "De que minha alma precisa?"
- "O que eu gostaria de vivenciar durante esse tempo?"

- "Há uma tendência, um pensamento, uma emoção que eu gostaria de explorar?"

Exemplos de intenções:

- "Eu relaxo"; "Eu brinco com as cores"; "Gosto de criar arte".
- "Exploro minha raiva, minha frustração, minhas dúvidas..."
- "Ganho novas perspectivas sobre a conversa que tive com ________."
- "Recebo________"; "Estou aberto a receber ________."

Entregue a intenção ao Senhor como um ato de confiança. Você é convidado a orar: "Confio em ti, Senhor, e em como projetaste minha mente, corpo e alma para trabalharem juntos. Seja o que for que precise, queira ser expresso e/ou vivenciado, Senhor, que seja. Vamos nos divertir um pouco. Amém".

---

3. Criação artística. 1h15min. Durante o tempo de criação artística, toque uma combinação de música instrumental e música internacional em uma língua desconhecida aos participantes, para que eles não se distraiam. A música ajuda a bloquear o crítico interno.

É necessário tempo para o que precisa ser revelado vir à tona. A obra inicial que criamos é uma forma de preparação, um tipo de diário com cores e marcas feitas no papel, por isso a necessidade de manter o trabalho livre. Muitas vezes é nos últimos dez ou vinte minutos que uma verdade, pensamento ou sentimento que a alma precisa escutar ou expressar começa a tomar forma.

Algumas sugestões que ajudam a relaxar antes e durante a criação artística:

- Antes de iniciar o trabalho, ponha para tocar alguma música com um ritmo de que você goste. Então comece a fazer marcas no papel com a mão dominante. Após alguns minutos, troque de mão e use a mão não dominante. Depois, use ambas as mãos. A seguir, feche os olhos. Siga seu próximo impulso. Você quer dançar? Quer mover a mão ao ritmo da música? Não há jeito certo nem errado. Experimente e veja o que funciona para você.
- Lembre-se de respirar. A respiração ancora e nos traz de volta ao momento presente.
- Ao longo do processo de criação artística, dê a si mesmo permissão para começar de novo a qualquer momento: pare, sorria, respire fundo algumas vezes e convide-se a voltar ao processo. Acrescente um pouco de gentileza, encarando com bondade o que surgir. Nada de julgar.

---

4. Escrita testemunhal. 15min. Escrita testemunhal é um registro de um momento íntimo entre você, sua alma e o Senhor. É o estado de estar presente para o que você acabou de criar e usá-lo como um trampolim para o que precisa vir à superfície e ser expresso.

Sugestões para o processo:

Sente-se em silêncio diante de sua obra durante alguns minutos.

Pergunte: "Deus, há algo aqui que gostarias que eu visse? Notasse? Há algum convite? Há algo relevante entre minha intenção e o que transparece na obra? Sê meu guia". Então escreva rapidamente, espontaneamente, sem censurar ou revisar.

Você pode:

- Descrever o que vê
- Descrever sua resposta emocional — quando olha para a obra agora ou enquanto a estava criando
- Escrever uma história, poema ou oração em reação à obra
- Estabelecer um diálogo com ela — faça uma pergunta a ela
- Retorne à sua intenção — quais são as conexões entre a intenção e o que você vê e sente agora?

---

5. Ler e escutar. 10min. Neste último passo do processo, cada um de nós mostra sua obra aos demais. Se quiser, pode ler sua intenção e o que escreveu durante a fase da escrita testemunhal. Você pode escolher ler uma palavra, uma frase, uma seção, tudo o que escreveu ou não ler nada. Ler é diferente de compartilhar: leia sem explicar, sem compartilhar ou comentar.

Ler em voz alta é um passo simples que pode elevar nossa experiência a outro patamar. Quando lemos em voz alta, mesclamos as palavras do lado esquerdo do cérebro com a experiência emocional do lado direito. Você está ativando outro sentido. Isso lhe permite escutar o que escreveu. O que o sentido de audição percebe? O que seu coração experimenta?

Aqueles ***que escutam*** dão apoio para os outros ouvirem sua própria leitura em voz alta. Não há comentários ou perguntas. Os comentários podem interferir nas percepções e sentimentos dos indivíduos sobre sua própria obra. O trabalho artístico, a escrita e a leitura são momentos sagrados entre eles e o Senhor, e os ouvintes honram esse momento. Os ouvintes podem orar em silêncio.

O líder e os membros do grupo podem simplesmente responder dizendo "Obrigado".

Encerramento. 5min. Sente-se por algum tempo em silêncio. Agradeça a Deus por estar com você a cada passo do processo e por continuar a trabalhar em sua alma. Entregue a Deus o trabalho artístico e a escrita testemunhal.

Escrita testemunhal: Deb Keiser executando a escrita testemunhal final com suas peças artísticas de um curso de seis meses

LISTA DE PRÁTICAS

NOTAS

INTRODUÇÃO

[1] Gem e Alan Fadling, *What Does Your Soul Love?* (Downers Grove, IL: InterVarsity Press, 2019), p. 176.

[2] Para saber mais sobre o que a Bíblia diz sobre cuidados pessoais e gentileza consigo mesmo, ver Grace Liu, "What Does the Bible Say About the Self-Care Movement?", The Ethics e Religious Liberty Commission of the Southern Baptist Convention, 5 de julho de 2019, <https://erlc.com/resource-library/articles/what-does-the-bible-say-about-the-self-care-movement>.

[3] Anne Lamott, *Hallelujah Anyway* (New York: Riverhead, 2017), p. 56.

[4] Uma biografia curta de Inácio de Loyola pode ser encontrada em <www.franciscanmedia.org/saint-ignatius-of-loyola>.

[5] David Steindl-Rast, *Gratefulness, the Heart of Prayer* (New York: Paulist Press, 1984), p. 204.

[6] O *link* para o GIF do gnome tricotando é este: <https://giphy.com/gifs/love-heart-valentine-3oriO6qJiXajN0TyDu>.

CAPÍTULO 1

[1] Visite <abbeyofthearts.com>. Ver também Christine Valters Painter, *Eyes of the Heart: Photography as a Christian Contemplative Practice* (Notre Dame, IN: Sorin Books, 2013).

[2] Anne Grizzle, *Reminders of God* (Brewster, MA: Paraclete Press, 2004). Está esgotado, mas pode ser encontrado entre os livros usados na Amazon.

CAPÍTULO 2

[1] Marilyn McEntyre, *Make a List* (Grand Rapids, MI: Eerdmans, 2018), p. 103.

[2] Idem, p. 106.

[3] Ellen Hendriksen, *How to Be Yourself* (New York: St Martin's Press, 2018), p. 99.

[4] Idem, p. 100.

[5] Al Hsu, correspondência pessoal, 25 de julho de 2019.
[6] Hendriksen, *How to Be Yourself*, p. 100.
[7] Anne Lamott, *Hallelujah Anyway* (New York: Riverhead, 2017), p. 132.
[8] Flannery O'Connor, *Wise Blood* (New York: Farrar, Straus & Giroux, 1949), p. 16.
[9] Ver <http://www.oremus.org/liturgy/ireland/word/exa.html>.

CAPÍTULO 3

[1] Michael Card, "Sleep Sound in Jesus", *Sleep Sound in Jesus* (*Gentle Lullabies for Baby*), Sparrow Records, 1989.
[2] Belinda Bauman, comunicação pessoal, 23 de janeiro de 2019.

CAPÍTULO 4

[1] Ruth Haley Barton, *Sacred Rhythms* (Downers Grove, IL: InterVarsity Press, 2006), p. 156.
[2] Idem, p. 155.
[3] Sheila Wise Rowe, *Healing Racial Trauma* (Downers Grove, IL: InterVarsity Press, 2020), p. 145.
[4] Ver <http://www.healthline.com/health-news/social-media-use-increases-depression-and-loneliness>.
[5] *Podcast Hurry Slowly* com Jocelyn K. Glei, temporada 2, episódio 7, "Cal Newport: Using Technology with Intention".

CAPÍTULO 5

[1] E. James Wilder et al., *Joyful Journey* (East Peoria, IL: Pastor's House, 2015), p. 3.
[2] De um guia de retiro particular. Uso autorizado por Gayle Koehler.
[3] Os passos e referências sobre Hagar são extraídos de Wilder et al., *Joyful Journey*, p. 36-43.
[4] Idem, p. 40.
[5] De um guia de retiro do advento de 2011 para a Church of the Savior. Uso autorizado por Doug Stewart.

CAPÍTULO 6

[1] James Bryan Smith, *The Good and Beautiful God* (Downers Grove, IL: InterVarsity Press, 2009), p. 34. [No Brasil, *O maravilhoso e bom Deus*. São Paulo: Vida, 2010.]

[2] *Dietrich Bonhoeffer Works*, vol. 8, *Letters and Papers from Prison* (Minneapolis: Fortress, 2009), carta nº. 89, p. 238.

CAPÍTULO 7

[1] Christy Pauley, comunicação pessoal, 23 de janeiro de 2019.

[2] Ver <https://contemplativeoutreach.org> para encontrar o aplicativo da oração centrante e mais recursos.

[3] Citada em Martin Laird, *Into the Silent Land* (New York: Oxford, 2006), p. 82.

[4] Idem, 81.

[5] Sybil MacBeth, *Praying in Color*, ed. exp. (Brewster, MA: Paraclete, 2019).

[6] Ver o apêndice para uma versão mais longa da descrição de Sheri do processo. Publicado primeiramente na revista *Conversations*, outono de 2016. Uso autorizado pela autora.

CAPÍTULO 8

[1] Beth Slevcove, *Broken Hallelujahs* (Downers Grove, IL: InterVarsity Press, 2016), p. 146.

[2] Ver <https://www.contemplativeoutreach.org/wp-content/uploads/2018/02/welcomingprayer_trifold_2016.pdf>.

[3] Thomas Keating é considerado o autor dessa forma escrita da oração. A oração pode ser encontrada neste *website*, junto com um vídeo evocativo — disponível grátis parcialmente para todos e completamente para os membros: <https://www.theworkofthepeople.com/the-welcoming-prayer>.

[4] David Benner, *The Gift of Being Yourself*, ed. exp. (Downers Grove, IL: InterVarsity Press, 2015), p. 46. [No Brasil, *O dom de ser você mesmo*. São Paulo: Codex, 2004.]

CAPÍTULO 9

[1] Adele Calhoun, *Spiritual Disciplines Handbook*, ed. exp. (Downers Grove, IL: InterVarsity Press, 2015), p. 233-34.

[2] Brené Brown, *Rising Strong* (New York: Random House, 2015), p. 212. [No Brasil, *Mais forte do que nunca*. Rio de Janeiro: Sextante, 2016.]

CAPÍTULO 10

[1] Sharon Garlough Brown, *Barefoot* (Downers Grove, IL: InterVarsity Press, 2016), p. 96.

CAPÍTULO 11

[1] Ian Morgan Cron e Suzanne Stabile, *The Road Back to You* (Downers Grove, IL: InterVarsity Press, 2016), p. 27. [No Brasil, *Uma jornada de autodescoberta*. São Paulo: Mundo Cristão, 2018.]

[2] Os rótulos dos tipos de Eneagrama são extraídos de Cron e Stabile, *The Road Back to You*.

CAPÍTULO 12

[1] Marije van der Haar-Peters, "Reading Retreat", *Flow*, nº 27, p. 48-50.

[2] Erin Straza, comunicação pessoal, maio de 2019. Você pode seguir o próximo retiro dela na praia no Instagram @erinstraza.

[3] Richard Foster e James Bryan Smith, eds. *Devotional Classics*, ed. rev. (San Francisco: Harper, 2005), p. 2. [No Brasil, *Clássicos devocionais*. São Paulo: Vida, 2009.]

[4] Jean Pierre de Caussade, *The Sacrament of the Present Moment*, citado em Foster e Smith, *Devotional Classics*, p. 2.

[5] Tracey Lawson, *A Year in the Village of Eternity* (New York: Bloomsbury, 2011), p. 45.

EPÍLOGO

[1] William A. Barry, SJ, *Paying Attention to God*, (Notre Dame, IN: Ave Maria Press, 1990), p. 34-35. [No Brasil, *Dar atenção a Deus*. São Paulo: Loyola, 1996.]

APÊNDICE

[1] As diretrizes para a criação artística intuitiva foram publicadas primeiramente na revista *Conversations*, outono de 2016. Uso autorizado por Sheri Abel.

CRÉDITOS DAS ILUSTRAÇÕES

Adoro lavar pratos: colagem da autora; fotografia da autora mostrando uma escultura do Museu de Arte Moderna de Palm Spring

Buscando consolo: colagem da autora

Criaturas: colagem da autora

Escrita testemunhal: fotografia da autora

Levando uma canção de ninar: colagem da autora

Modelo para rabiscar: arte da autora

Mundos abrindo-se diante de mim: colagem da autora

O Deus que me vê, Palm Springs: fotografia da autora

O Eneagrama e o que incomoda você: colagem da autora

O Senhor está perto: colagem da autora

Ofereça graça a si mesmo: colagem da autora

Precisando de um pastor: colagem da autora

Ramificações e aberturas: colagem da autora

Saboreando: colagem da autora

Tempo de reconfigurar: colagem da autora

Um altar de gratidão, Palm Springs: fotografia da autora

Um beija-flor em Palm Springs: fotografia da autora

Vigília Pascal: fotografia usada por cortesia de Al Hsu

Viúva de Naim, 2018: arte usada por cortesia de Egbert Modderman, <www.moddermanbiblicalart.com>

Compartilhe suas impressões de leitura,
mencionando o título da obra, pelo e-mail
opiniao-do-leitor@mundocristao.com.br
ou por nossas redes sociais

Esta obra foi composta com tipografia Adobe Caslon Pro
e impressa em papel Pólen Natural 70 g/m² na gráfica Assahi